DU MÊME AUTEUR

Aux Éditions Gallimard

LE SERMENT DES BARBARES, 1999. Prix du Premier Roman 1999. Prix Tropiques, Agence française de Développement, 1999 (Folio, n° 3507).

L'ENFANT FOU DE L'ARBRE CREUX, 2000. Prix Michel Dard 2001 (Folio, n° 3641).

DIS-MOI LE PARADIS, 2003.

HARRAGA, 2005 (Folio, n° 4498).

POSTE RESTANTE : ALGER, Lettre de colère et d'espoir à mes compatriotes, 2006.

PETIT ÉLOGE DE LA MÉMOIRE, essai (Folio, n° 4486).

LE VILLAGE DE L'ALLEMAND
OU
LE JOURNAL DES FRÈRES SCHILLER

BOUALEM SANSAL

LE VILLAGE
DE L'ALLEMAND

OU
LE JOURNAL
DES FRÈRES SCHILLER

roman

GALLIMARD

Je remercie très affectueusement Mme Dominique G.H., professeur au lycée A.M., qui a bien voulu réécrire mon livre en bon français. Son travail est tellement magnifique que je n'ai pas reconnu mon texte. J'ai eu du mal à le lire. Elle l'a fait en mémoire de Rachel qu'elle a eu comme élève. « Son meilleur élève », a-t-elle souligné.

Dans certains cas, j'ai suivi ses conseils, j'ai changé des noms et supprimé des commentaires. Dans d'autres, j'ai conservé ma rédaction, c'est important pour moi. Elle dit qu'il y a des parallèles dangereux qui pourraient me valoir des ennuis. Je m'en fiche, ce que j'avais à dire, je l'ai dit, point, et je signe :

MALRICH SCHILLER.

Journal de Malrich

Octobre 1996

Cela fait six mois que Rachel est mort. Il avait trente-trois ans. Un jour, il y a deux années de cela, un truc s'est cassé dans sa tête, il s'est mis à courir entre la France, l'Algérie, l'Allemagne, l'Autriche, la Pologne, la Turquie, l'Égypte. Entre deux voyages, il lisait, il ruminait dans son coin, il écrivait, il délirait. Il a perdu la santé. Puis son travail. Puis la raison. Ophélie l'a quitté. Un soir, il s'est suicidé. C'était le 24 avril de cette année 1996, aux alentours de 23 heures.

Je ne savais rien de ses problèmes. J'étais jeune, j'avais dix-sept ans quand ce quelque chose s'est cassé dans sa tête, j'étais sur la mauvaise pente. Rachel, je le voyais peu, je l'évitais, il me pompait avec son prêchi-prêcha. Je regrette de le dire, c'est mon frère, mais bon citoyen à ce point, ça te met la panique. Il avait sa vie, j'avais la mienne. Il était cadre dans une grosse boîte américaine, il avait sa nana, son pavillon, sa bagnole, sa carte de crédit, ses heures étaient minutées, moi je ramais H24 avec les sinistrés de la cité. Elle est classée ZUS-1, zone urbaine sensible de première catégorie. Pas de répit, on sort d'un crash, on tombe dans l'autre. Un matin, Ophélie a téléphoné pour nous annoncer le drame. Elle était passée au pavillon prendre des nouvelles de son ex. Je pressentais quelque chose, a-t-elle dit. J'ai sauté sur la mob de Momo, le fils du boucher halal, et j'ai foncé. Il y avait du peuple devant le pavillon, la police, le SAMU, les voisins, les curieux. Rachel était dans le garage, assis par terre, dos contre le mur, jambes allongées, le menton sur la poitrine, la bouche ouverte. On aurait dit qu'il roupillait. Son visage était couvert de suie. Toute la nuit, il a baigné dans les gaz d'échappement de sa tire. Il portait un drôle de pyjama, un pyjama rayé que je ne lui connaissais pas et il avait la tête rasée comme au bagne, tout de travers. Que c'est bizarre. J'ai encaissé sans broncher. Je ne réalisais pas encore. Le toubib m'a dit : C'est ton frère ? J'ai dit : Oui. Il a dit : C'est tout l'effet que ça te fait ? J'ai haussé les épaules et je suis passé au salon.

Ophélie était avec Com'Dad, le commissaire du quartier. Elle pleurait. Il prenait des notes. Quand il m'a vu, il a dit : Approche un peu ! Il m'a posé des questions. J'ai répondu que je ne savais rien. C'est vrai, Rachel, je ne le voyais pas. Je me doutais qu'il couvait quelque chose mais je me disais : Il a ses couilles, j'ai les miennes. C'est triste à dire mais c'est ainsi, le suicide est chose courante dans la cité, on est surpris un moment, on reste renfrogné un jour ou deux et, une semaine plus tard, on n'y pense plus. On se dit : C'est la vie, et on continue son chemin. Là, il s'agissait de mon frère, mon frère aîné, je devais comprendre.

Je n'avais aucune idée de ce qui avait pu lui arriver et je n'imaginais pas que ça ait été si loin pour lui et que ça irait si loin pour moi. J'aurais pensé à tout, et j'y ai pensé des jours entiers, une affaire de cœur, une affaire d'argent, une affaire d'État, une maladie incurable, ce qu'il y a de pire dans cette putain de vie, mais pas ça. Ah, non, mon Dieu, pas ça ! Je ne crois pas qu'une seule personne au monde ait jamais connu pareil drame.

Après l'enterrement, Ophélie s'est tirée au Canada, chez sa cousine Cathy qui était mariée là-bas avec un trappeur plein aux as. Elle m'a laissé le pavillon en garde en disant : On verra après. Quand je lui ai demandé pourquoi Rachel s'était suicidé, elle m'a répondu : Je ne sais pas, il ne m'a jamais rien dit. Je l'ai crue, je voyais bien à sa façon de trembler qu'elle ne savait pas, Rachel ne disait jamais rien à personne.

Je me suis retrouvé seul dans le pavillon, le moral à terre. Je m'en voulais de ne pas avoir été là quand Rachel sombrait dans la déprime. Tout un mois, j'ai tourné en rond. J'étais mal, je n'arrivais même pas à pleurer. Raymond, Momo et les autres copains me tenaient compagnie. Ils passaient en fin de journée, on causait du bout des lèvres en vidant des canettes. On veillait comme des hiboux. C'est là que je suis rentré dans le garage du père de Raymond, M. Vincent. *Au bonheur de ces bagnoles*, c'est l'enseigne. Payé au tarif apprenti, plus le pourboire. Ça me prenait la tête de rester seul. Le boulot, ça a du bon, tu t'oublies.

Un mois plus tard, Com'Dad a téléphoné au garage pour me dire : Passe au commissariat, j'ai quelque chose pour toi. J'y suis allé après le boulot. Il m'a longuement regardé en jouant avec sa langue dans la bouche, puis il a ouvert un tiroir, a pris un sachet en plastique et me l'a tendu. Je l'ai pris. Il contenait quatre gros cahiers chiffonnés. Il m'a dit : C'est le journal de ton frère. On n'en a plus besoin. Il m'a planté le doigt sous le nez et il a ajouté : Faut lire, ça te mettra du plomb dans la tête. Ton frère était un type bien. Ensuite, il a parlé de choses et d'autres qui lui tenaient à cœur, la cité, l'avenir, la république, le droit chemin. Je l'écoutais en me balançant d'un pied sur l'autre. Il m'a regardé et il a dit : Tire-toi, va !

Dès que j'ai commencé à lire le journal de Rachel, je suis tombé malade. Tout s'est mis à brûler en moi. Je me tenais la tête pour l'empêcher d'éclater, j'avais envie de hurler. C'est pas possible, me disais-je à chaque page. Puis quand j'ai eu fini de lire, ça s'est calmé d'un coup. J'étais glacé de l'intérieur. Je n'avais qu'une envie : mourir. J'avais honte de vivre. Au bout d'une semaine, j'ai compris, son histoire est la mienne, la nôtre, c'est le passé de papa, il me fallait à mon tour le vivre, suivre le même chemin, me poser les mêmes questions et, là où mon père et Rachel ont échoué, tenter de survivre. Je sentais que c'était trop gros pour moi. J'ai senti aussi très fort, sans savoir pourquoi, que je devais le raconter au monde. Ce sont des histoires d'hier mais, en même temps, la vie c'est toujours pareil et donc ce drame unique peut se reproduire.

Avant de raconter, quelques informations sur nous. Rachel et moi sommes nés au bled, là-bas en Algérie, dans un douar du bout du monde, je ne sais où exactement. Il s'appelle Aïn Deb. Dans le temps, tonton Ali m'avait expliqué que ça voulait dire la Source de l'âne. Ça m'avait fait rire, j'imaginais un âne monter fièrement la garde devant son robinet en se frottant égoïstement la panse.

Nous sommes de mère algérienne et de père allemand, Aïcha et Hans Schiller. Rachel est arrivé en France en 1970, il avait sept ans. Avec ses prénoms Rachid et Helmut, on a fait Rachel, c'est resté. Moi, j'ai débarqué en 1985, j'avais huit ans. Avec mes prénoms Malek et Ulrich, on a fait Malrich, c'est resté aussi. Nous avons été hébergés par tonton Ali, un brave homme qui avait sept garçons et un cœur gros comme un camion. Chez lui, plus c'est chargé, mieux ça roule. Un natif du bled, copain de papa, un émigré de la première heure qui a pratiqué toutes les misères mais qui a réussi à se faire un nid pour ses vieux jours. Il va sur la fin, le pauvre, il n'a plus sa tête. C'est un *chibani* qui se meurt dans le silence. Je n'ai pas été un cadeau pour lui. Il ne s'est jamais plaint, il disait en souriant : Un jour, tu seras un homme. L'un après l'autre, ses garçons ont disparu, quatre sont morts, de maladie, d'accidents du travail, et les trois derniers sont dans la nature, un peu là, en Algérie, un peu ailleurs, dans le Golfe ou en Libye, à suivre des chantiers, à courir après la vie. On peut dire qu'ils sont perdus, ils ne viennent jamais, ils n'écrivent pas, ils ne téléphonent pas. Peut-être sont-ils morts aussi. Au final, tonton Ali n'a que moi. Je n'ai plus revu mon père. Je ne suis pas retourné en Algérie et lui n'est jamais venu en France. Il ne voulait pas qu'on rentre au bled, il disait : Plus tard, on verra. Notre mère est venue trois fois quinze jours qu'elle a passés à pleurer. On ne se comprenait pas, c'est bête, elle parlait berbère alors qu'on baragouinait un pauvre arabe des banlieues et un allemand de bricolage, elle en savait très peu et nous n'avions que de vieux restes décousus.

15

On se souriait en répétant *Ya, ya, gut, labesse, azul,* ça va, *genau,* cool, et toi. Rachel est parti une fois au pays, c'était pour me ramener en France. Le père n'est jamais sorti de son village. C'était bizarre mais les histoires de famille c'est toujours bizarre, on ne les connaît pas, donc on ne fait pas attention. Après le lycée, où il a fait allemand par esprit de famille et anglais parce qu'il le fallait, Rachel a rejoint une école d'ingénieurs à Nantes. Je n'ai pas eu cette chance, je n'ai pas été plus loin que le CM2. Ils m'ont collé une histoire sur le dos, le casse du placard du dirlo, et renvoyé de l'école. Je me suis fait ma route, la traîne, les petits stages, les petits boulots, la revente, la mosquée, le tribunal. Avec les copains, nous étions comme des poissons dans l'eau, on naviguait au gré des courants et des envies. Parfois on est attrapé mais le plus souvent relâché aussitôt. On en profitait avant l'âge légal de la taule. Je suis passé devant toutes les commissions et à la fin ils m'ont oublié. Je ne me plains pas, ce qui est arrivé est arrivé. C'est le destin, le mektoub comme disent les vieux Arabes du quartier. Entre copains, on se dit des choses comme ça : L'adversité est un bon maître, le danger fait l'homme, les couilles on se les fait à la force du poignet...

À vingt-cinq ans, Rachel a obtenu la nationalité française. Il a organisé une fête du tonnerre de Dieu. Ophélie et sa maman, une mordue du Front national, n'avaient plus de raison de retarder le mariage. Algérien et allemand, mais français quand même et ingénieur en plus, ont-elles dit à ceux qui voulaient savoir. Encore une fête. Il faut dire que Rachel et Ophélie, ça datait de l'enfance, la mère Wenda l'a assez pourchassé et a bien vu comment il grandissait dans le sérieux et la politesse. En plus, il était plus blond, avec des yeux bleus, que l'Ophélie qui était châtain, avec des yeux noirs. Le côté allemand de Rachel, dont il a hérité en entier de notre père, et le côté abeille d'Ophélie ont fait le reste. Leur vie était du papier musique, il suffisait de tourner la manivelle. Parfois je les enviais et parfois j'avais envie de les tuer pour abréger leurs souffrances. Je les évitais pour garder de bonnes relations. Quand je passais chez eux, ils lorgnaient autour d'eux comme si une tornade approchait de leur nid. Ophélie me devançait partout où j'allais et repassait pour vérifier.

Après sa naturalisation, il m'a dit : Je vais m'occuper de la tienne, tu ne peux pas rester comme ça, un électron libre. J'ai haussé les épaules : M'en fous, fais comme tu veux. Il a fait. Un jour, il est passé à la cité, m'a fait signer des papiers et un an plus tard il est repassé pour me dire : Bienvenue parmi nous, ton décret est signé. Il m'a expliqué que son patron nous avait pistonnés en haut lieu. Il m'a invité dans un grand restaurant à Paris, du côté de Nation. Ce n'était pas pour fêter mes papiers, c'était pour me lire les devoirs qui vont avec. Alors, à peine le dessert avalé, je lui ai dit Tchao.

Je me suis arrangé avec M. Vincent, j'ai pris un mois de congés payés. C'était chic de sa part, je n'avais bossé que trois jours par-ci, cinq jours par-là et pas même fini la bagnole sur laquelle j'étais. Il m'a bien couvert auprès du social de la mairie qui raquait pour mon stage.

J'avais besoin d'être seul dans mon trou. J'avais atteint ce stade où on ne peut supporter le monde que si on se sépare de lui et qu'on se perde dans sa peine. J'ai lu et relu le journal de Rachel. C'était tellement colossal, tellement noir, que je n'en voyais pas le bout. Et tout à coup, moi qui avais horreur de ça, je me suis mis à écrire comme un dingue. Puis j'ai commencé à courir dans tous les sens. Ce que j'ai subi, je ne le souhaite à personne.

Journal de Malrich

Novembre 1996

J'ai eu du mal à lire le journal de Rachel. Son français n'est pas le mien. Et le dictionnaire ne m'aidait pas, il me renvoyait d'une page à l'autre. Un vrai piège, chaque mot est une histoire en soi imbriquée dans une autre. Comment se souvenir de tout ? Je me suis rappelé ce que disait M. Vincent : L'instruction c'est comme le serrage de boulons, trop c'est trop, pas assez c'est pas assez. J'ai quand même beaucoup appris et plus j'apprenais, plus j'en voulais.

Tout a commencé le lundi 25 avril 1994, à 20 heures. Un drame qui en entraîne un autre qui en révèle un troisième, le plus grand de tous les temps. Rachel a écrit :

Je ne me sentais pas de vraies attaches avec l'Algérie mais tous les soirs, à 20 heures tapantes, j'étais devant le poste de télé à attendre les nouvelles du pays. Il y a la guerre là-bas. Une guerre sans visage, sans pitié, sans fin. On a dit tant de choses, les unes plus terribles que les autres, que j'ai fini par me persuader qu'un jour ou l'autre, où que nous nous trouvions, quoi que nous fassions, d'une manière ou d'une autre, cette monstruosité nous atteindrait. J'avais autant peur pour ce pays loin-

19

tain, pour mes parents qui s'y trouvaient, que pour nous qui étions là, à l'abri de tout.

Dans ses lettres, papa ne parlait que du village, de son train-train, comme si celui-ci était dans une bulle en dehors du temps. Dans mon esprit, peu à peu, le pays s'est réduit au village. Je le voyais ainsi : un vieux bourg d'un vieux conte sorti des mémoires ; ses habitants n'ont pas de noms, pas de visages, ne parlent pas, ne vont nulle part ; je les voyais debout ou accroupis ou allongés sur des nattes ou assis sur des tabourets devant des portes closes ou des murs fissurés, blanchis à la chaux ; ils ont le geste lent, un mouvement qui ne vise rien en particulier ; les rues sont étroites, les maisons basses, les minarets obliques, les fontaines taries, et le sable étale vertigineusement ses vagues d'un bout à l'autre de l'horizon ; dans le ciel, une fois l'an, des nuages passent tels des pèlerins encapuchonnés qui bredouillent dans le vide, ils ne s'arrêtent pas, ils vont très loin s'immoler dans le soleil ou se jeter dans la mer ; parfois, ils font pénitence au-dessus des têtes et c'est le déluge de la Bible ; j'entends des chiens par-ci, par-là qui aboient pour rien, il n'y a plus de caravanes depuis longtemps mais comme partout dans ces pays abandonnés des bus osseux qui brimbalent sur des pistes défoncées en fumant comme des diables ; je vois des enfants nus filant à toutes jambes, on dirait des ombres enveloppées de poussière, trop vite pour qu'on sache à quoi ils jouent, quel djinn les poursuit ; des rires, des pleurs, des cris les accompagnent, qui vont se perdre dans l'air saturé de lumière et de cendre et deviennent brouhaha qui s'embrouille dans ses échos. Et plus je me disais que tout cela est un cinéma intérieur, le bric-à-brac de la nostalgie, de l'ignorance, des clichés vus aux infos, et plus le tableau jurait de vérité. En revanche, papa, maman, je les voyais distinctement, j'entendais leurs voix, je sentais leurs odeurs, en même temps je savais

20

que c'était factice, ce sont des créations mentales, des images pieuses de mon enfance que le souvenir rajeunit d'année en année. Je me disais aussi que la vie était dure dans ce pays, sans doute l'était-elle davantage dans ce village du bout du monde, et alors le voile serein se déchirait et je voyais un vieux bonhomme perclus qui essayait de se tenir droit pour me surprendre et une vieille toute bossue qui tentait de se lever pour moi en s'appuyant sur le mur décrépi, et je me disais : Voilà papa, voilà maman, voilà ce que le temps et la rudesse de cette vie ont fait d'eux.

Ce que je sais de l'Algérie, je l'ai su par les médias, par mes lectures, les discussions avec les copains. Au temps où j'habitais la cité, chez tonton Ali, j'en avais une perception trop vraie pour être réelle. Les gens jouaient à être algériens, plus que la vérité ne pouvait le supporter. Rien ne les obligeait mais ils sacrifiaient au rituel avec tout l'art possible. Émigré on est, émigré on reste pour l'éternité. Le pays dont ils parlaient avec tant d'émotion et de tempérament n'existe pas. L'authenticité qu'ils regardent comme le pôle Nord de la mémoire encore moins. L'idole porte un cachet de conformité sur le front, trop visible, ça dit le produit de bazar, contrefait, artificiel, et combien dangereux à l'usage. L'Algérie était autre, elle avait sa vie, et déjà il était de notoriété mondiale que ses grands dirigeants l'avaient saccagée et la préparaient activement à la fin des fins. Le pays vrai est celui dans lequel on vit, les Algériens de là-bas le savent bien, eux. Le drame dans lequel ils se débattent, ils en connaissent l'alpha et l'oméga et s'il ne tenait qu'à eux, les tortionnaires auraient été les seules victimes de leurs basses œuvres.

C'est tombé à l'ouverture du JT, le 25 avril 1994, à 20 heures : « Une nouvelle tuerie en Algérie ! Hier soir, un

21

groupe armé a investi un village ayant pour nom Aïn Deb et passé tous ses habitants au fil du couteau. Selon la télévision algérienne, cet énième massacre est encore l'œuvre des islamistes du GIA... »

J'ai bondi en poussant un cri : « Mon Dieu, ce n'est pas possible ! » Ce que je craignais est arrivé, la barbarie nous avait atteints ! Je suis retombé hébété, je suais, j'avais froid, je tremblais. Ophélie a surgi de la cuisine en criant : « Que se passe-t-il ?... Qu'est-ce que tu as ?... Parle, bon sang !... » Je l'ai repoussée. J'avais besoin d'être seul, pour me convaincre, me réveiller. Mais la réalité était là, j'avais devant les yeux, au fond de mon cœur, le visage de mes parents, infiniment vieux, infiniment effrayés. Ils m'appelaient au secours, ils tendaient les bras vers moi pendant que des ombres archaïques les tiraient violemment en arrière, les jetaient à terre, leur écrasaient la poitrine sous le genou, leur plantaient le couteau dans la gorge. Je voyais leurs jambes s'agiter pendant que la vie paniquée s'enfuyait de leurs vieux corps.

Je croyais connaître l'horreur, nous la voyons partout dans le monde, nous en entendons parler tous les soirs, nous en savons les ressorts, des experts nous en expliquent quotidiennement la terrible logique, mais en vérité ne connaît l'horreur que la victime. Et là, j'étais une victime, la victime, fils de victimes, la douleur est vraie, profonde, mystérieuse, indicible. Destructrice. Elle se doublait d'une interrogation poignante. Le lendemain, à la première heure, j'ai appelé l'ambassade d'Algérie à Paris pour savoir si mes parents figuraient parmi les victimes. On m'a renvoyé d'un poste à l'autre, j'ai patienté en haletant et, à la fin, une voix polie s'est manifestée.

« Quels noms, dites-vous, monsieur ?

— Schiller...s, c, h, i, deux l, e, r... Aïcha et Hans Schiller. » Pendant qu'il trifouillait ses papiers, je suppliais Dieu de

22

nous épargner. Et la voix polie est revenue me dire d'un ton soulagé :

« Rassurez-vous, monsieur, ils ne sont pas sur ma liste... Euh...

— Oui, quoi ?

— En revanche, j'ai une Aïcha Majdali et un Hassan Hans dit Si Mourad... Ça vous dit quelque chose ?

— C'est ma mère... et mon père..., ai-je répondu en retenant mes larmes.

— Veuillez accepter mes condoléances, cher monsieur.

— Pourquoi ne sont-ils pas mentionnés sous leurs noms, Aïcha et Hans Schiller ?

— Je ne saurais dire, monsieur, la liste nous vient d'Alger, du ministère de l'Intérieur. »

Rachel ne m'avait rien dit. Moi, je ne regarde jamais la télé et les copains ne savent même pas que ça existe. Rester assis à suivre des images, à écouter des discours, on ne rêve pas de ça. Ou si j'ai entendu parler du massacre, c'est en passant, je n'ai pas prêté attention. Aïn Deb, l'Algérie, ça ne me disait pas grand-chose. On savait la guerre dans ce pays mais de loin, on en parlait comme de n'importe quelle guerre, en Afrique, au Moyen-Orient, à Kaboul, en Bosnie. Les copains viennent tous de quelque part où court la guerre, où frappe la famine, on cause en général sans nous arrêter au particulier. Notre vie à nous, c'est la cité, l'ennui, la chape de plomb, les crises entre voisins, la guerre des clans, les opérations commandos des islamistes, les descentes de police, les échauffourées, le va-et-vient des dealers, les brimades des grands frères, les manifs, les rassemblements funèbres. Il y a les fêtes familiales, c'est sympa, mais c'est pour les femmes, les hommes restent en bas de l'immeuble à compter les courants d'air. Si on passe, c'est pour dire qu'on est venu. Le reste du temps, on s'ennuie comme des rats, on se met dans un coin et on attend que ça passe.

Parfois, on voit arriver Com'Dad, le commissaire Daddy. Il fait semblant de rien : Tiens, vous êtes là, je ne vous ai pas vus, je passais... Puis il approche, s'adosse à la rambarde et comme à de vieux copains de misère nous parle de choses et d'autres, en commençant par le foot. Nous, on se pose la question : Il vient à la pêche ou au prêche ? Les deux, mes frères. Parfois on le renseigne, on lui refile des tuyaux crevés, parfois on fait semblant de rêver à haute voix devant lui d'une vie tout entière au service de l'humanité et de l'environnement. On se marre un coup et on se sépare sur une poignée de main à l'américaine. Il est arrivé qu'il nous invite à boire un thé au café de Da Hocine ou un café à la buvette de la gare. Il pense que c'est la bonne technique pour nous tirer les vers du nez, le pauvre. Pour nous, c'est la honte, mais en même temps on fait croire aux copains que le Com'Dad, on le manipule comme on veut, on le lance sur les fausses pistes, on le travaille pour pistonner les clandestins. Lui par contre ne s'empêche jamais de s'inviter, il est de toutes les fêtes de la cité, mariages, circoncisions, excisions, admissions aux stages, retour des prisonniers et des hadj, acquisition de papiers, et il ne rate jamais le grand massacre annuel des moutons de l'Aïd. Dans les enterrements, c'est lui qui conduit le cortège. Il est de la nouvelle école de police : Pour comprendre l'ennemi, il faut vivre avec lui, comme lui.

Dans le garage du pavillon, j'ai retrouvé les journaux qui avaient rapporté le carnage de Aïn Deb, des journaux d'ici et de là-bas, *Le Monde*, *Libération*, *El Watan*, *Liberté*... Il y en avait un paquet. Rachel avait marqué les passages qui nous concernent. Ça m'a arraché le cœur de lire ça. Quelque chose me révoltait aussi, les journalistes parlaient du génocide comme d'un fait divers et en même temps ils semblaient vouloir dire : On vous le disait, cette guerre n'est pas claire. Quelle guerre l'est, bon sang, celle-là l'est moins que les autres, c'est tout ! Et voilà que du coup on imagine des saloperies, des hontes, qui ajoutent à la douleur. Des jours entiers, le film a tourné dans ma tête, j'en avais la nausée. Un vieux village du bout du monde endormi dans sa couette, un ciel sans lune, des chiens qui se mettent à aboyer, des yeux fous qui transpercent l'obscurité, des ombres qui se faufilent par-ci, par-là, viennent écouter aux portes, les fracassent d'un coup de pied, des cris inhumains, des ordres lancés par-dessus les ténèbres, des gens affolés que l'on traîne au milieu de la place, des enfants qui pleurent, des femmes qui hurlent, des filles défigurées par la peur qui s'accrochent à leurs mères en se cachant les seins, des vieillards hébétés qui implorent Allah, supplient les tueurs, des hommes livides qui parlementent dans le vide. Je vois un immense barbu bardé de cartouchières qui harangue la foule au nom d'Allah et d'un coup de sabre décapite un homme. Puis c'est la mêlée, la boucherie, des pleurs, des hurlements, des gigotements, des rires sauvages. Puis le silence qui retombe. Quelques râles encore, de petits bruits qui meurent l'un après l'autre, puis une sorte de paix lourde, visqueuse, qui s'abat sur le vide. Les chiens n'aboient plus, ils gémissent entre leurs pattes. La nuit se referme sur elle-même, sur son secret. Et le film recommence avec plus de détails, plus de cris, plus de silence, plus d'obscurité. Et je sens l'odeur de la mort qui me prend à la gorge et l'odeur du sang qui se mêle à la terre. Et je vomis. Soudain je me rends compte que je suis seul dans le pavillon. Dehors, il fait nuit noire, le silence est énorme. Tout à coup, un chien qui aboie. J'imagine des ombres investissant le quartier. Je me rassure comme je peux et je m'endors comme un mort.

Rachel a écrit :

Ma décision est prise, je vais à Aïn Deb. C'est un devoir, une nécessité absolue. C'est mon chemin de Damas. Qu'importent les risques.

La chose n'est pas simple. Au consulat algérien de Nanterre, j'ai été reçu comme si j'étais un dissident soviétique. Le préposé m'a fixé dans les yeux jusqu'à me faire mal, puis il a tourné, retourné mon passeport, lu et relu ma demande de visa, et soudain il s'est rejeté en arrière et, les yeux mi-clos, il a fixé un coin du plafond si longtemps que j'ai cru qu'il était en train de mourir de l'apnée du sommeil. Je ne saurais dire s'il m'entendait l'appeler et s'il comprenait mon inquiétude. Puis tout à trac, il s'est penché vers moi pour me dire entre les dents, un peu entre nous :

« Schiller, c'est quoi... anglais... juif ? »

— C'est un passeport français que vous tenez en main, monsieur.

— Pourquoi tu veux aller en Algérie ?

— Cher monsieur, mon père et ma mère sont algériens, ils vivaient en Algérie, à Aïn Deb, jusqu'au 24 de ce mois, jour maudit qui a vu leur village disparaître de la carte par la volonté des islamistes. Je vais me recueillir sur leurs tombes et faire mon deuil, vous comprenez ça ?

— Ah oui, Aïn Deb !... Fallait le dire... mais c'est pas possible, on ne délivre pas de visa aux étrangers...

— Et à qui donc les délivrez-vous ?

— Si tu te fais assassiner là-bas, on dira encore que c'est nous qui t'avons tué. D'ailleurs, ton gouvernement vous interdit d'aller en Algérie, tu le sais pas ou tu fais l'imbécile ?

— Que faire ?

— Prends un passeport algérien puisque tu es de parents algériens.

— Comment faire ?

— Vois avec le guichet des passeports. »

Après trois mois de courses infernales, je l'ai eu, ce précieux document. Obtenir des papiers administratifs d'Algérie est assurément la mission la plus difficile au monde. Voler la tour Eiffel ou kidnapper la reine d'Angleterre dans son palais est un jeu. On a beau sonner, personne ne répond. Le courrier se perd au-dessus de la Méditerranée ou il est intercepté par Big Brother et entreposé dans un silo au Sahara, le temps que le monde s'écroule. Le certificat de nationalité algérienne de papa, à lui seul, a consommé cinq lettres recommandées et deux bons mois de folle attente. Muni de mes papiers, je me sentais héroïque, j'avais vaincu l'Annapurna. C'est en courant que je suis retourné au consulat. Le préposé aux passeports a su être aussi retors que son collègue des visas mais, au final, force est restée à la loi. Dieu, que ça doit être humiliant et dangereux d'être algérien à plein temps !

À l'agence d'Air France, on m'a examiné comme si j'étais venu avec une corde au cou pour me pendre devant eux. « La compagnie ne dessert plus l'Algérie, monsieur », m'a lancé la préposée en me faisant signe de dégager le comptoir. Je suis allé frapper à la porte d'Air Algérie. La préposée n'a rien trouvé à me reprocher, elle m'a balancé mon passeport tout neuf en me disant : « Repassez un autre jour, l'ordinateur est en panne ou allez l'acheter ailleurs. »

Une fois tout en poche, j'ai annoncé mon départ à Ophélie. Comme je m'y attendais, elle a sauté au plafond.

« Tu es malade, qu'est-ce que tu vas foutre là-bas ?

— Pour affaire, la société m'envoie prospecter le marché.

— Mais il y a la guerre chez eux !

— Justement.

— Et tu as accepté ?

— C'est mon boulot...

— Pourquoi tu m'en parles seulement maintenant ?

— C'était pas vraiment décidé, on cherchait un introducteur efficace.

— Va te faire buter là-bas, je m'en fous ! »

Quand Ophélie boude, c'est la fin du monde. Le lendemain, à l'heure des éboueurs, je suis parti comme un cambrioleur.

Le voyage fut plus tranquille que ne le prédisaient le consulat, les compagnies aériennes et Ophélie. Je suis arrivé à Alger comme une lettre à la poste en Suisse. Pas de surprise, l'aéroport international d'Alger était là où je l'avais laissé en 1985, quand je suis venu rapatrier le petit Malrich, et parfaitement identique à lui-même. La différence est dans l'atmosphère, elle était à la petite suspicion gratuite, elle est à la terreur généralisée. On a peur de son ombre. Il s'est passé des choses dernièrement, l'aéroport a été plastiqué, le trou dans le hall est encore béant et les traces de sang toujours visibles sur les murs.

Je me suis retrouvé dehors dans le cafouillage sous un soleil impitoyable. Que faire, où aller ? Avec mon look d'étranger intégral, je ne passais pas inaperçu. Le temps de me le dire, j'étais entouré de types louvoyants qui me parlaient sans remuer les lèvres, en admirant qui le ciel, qui la terre : « Hé, m'sieur !... taxi ?... pas cher... prix d'ami. » Des clandestins ventriloques. Compris, j'ai adopté la même attitude :

« Combien pour Aïn Deb ?

— C'est où ?

— Pas loin de Sétif. »

Le vide s'est fait autour de moi. Trop loin... trop dangereux. Certains m'ont tourné le dos sans commentaire, d'autres m'ont fustigé du regard. Mon voyage semblait devoir s'arrêter là quand un jeunot rigolard s'est manifesté. Échange de murmures à distance. Il était partant. Il demandait un prix avec plusieurs zéros. À ce tarif, on s'offre Paris/New York en Cadillac, mais bon, le danger a son prix. J'ai acquiescé d'un battement de cils discret. Le bienfaiteur m'a ordonné de le suivre de loin, l'air de rien. Sa voiture était garée hors de l'enceinte de l'aéroport. Je me suis arrêté pour la dévisager. Elle était à l'article de la mort. « T'inquiète, c'est pour éloigner le mauvais œil », a-t-il dit. Elle a démarré au demi-quart de tour.

L'homme s'appelle Omar. En trois coups de champignon, nous étions hors de la ville. Je l'ai surnommé Schumacher et je lui ai dit que je souhaitais arriver vivant.

« Hé, m'sieur, faut qu'on arrive à Sétif avant le crépuscule, c'est l'heure des faux barrages. Tu dormiras tranquille à l'hôtel et le matin tu te prends un taxi pour ton douar. Moi je dormirai chez l'habitant si je trouve un vrai musulman...

— Comment ça je me prends un taxi alors que j'en ai un sous la main que j'ai payé à prix d'or ?

— Hé, m'sieur, je vais pas dans un endroit que je connais pas, où les bandits ont égorgé tous les habitants ! Tu comprends ça ?

— Je comprends surtout que tu m'as entubé. Mais va, je

ne veux pas de ta mort sur la conscience, la mienne me suffira, on se dira adieu à Sétif. »

La peur me cisaillait le ventre. La route était déserte à glacer le sang. Pas âme qui vive. Pas un bruit. Seulement le vent qui siffle autour de la voiture et les pneus qui chuintaient comme des serpents écrasés. Nous dépassions des véhicules militaires bourrés de gamins en armes qui randonnaient au pas. À leur approche, Omar ralentissait, lorgnait à droite, à gauche, devant, derrière, reniflait un bon coup, et à Dieu vat, déboîtait d'un geste et accélérait de toutes ses forces. Ensuite, il souriait. « Ce sont des vrais, rassure-toi », ce qui achevait de me glacer. « Si on tombe sur des faux, que se passe-t-il ? » ai-je demandé bêtement. « Rien », a-t-il dit en se passant le pouce sous le menton d'une oreille à l'autre. Et il a souri. On s'accordait quelques haltes, pour l'essence, pour le café, pour le pipi. À l'entrée de chaque village, un barrage de gendarmerie. La procédure était bien réglée : on était pointés à la mitrailleuse lourde, on nous intimait l'ordre de couper le contact, de sortir les bras en l'air, de laisser les portières ouvertes et de nous diriger vers le block-haus en marquant la distance entre nous. Venaient ensuite le contrôle des papiers, le petit interrogatoire, la fouille corporelle, la visite du véhicule et à la fin on nous offrait des avertissements pour la suite du voyage. « À tel endroit, faites gaffe... si vous voyez un gosse ou une femme affolée faire du stop ou un blessé qui gigote sur la route en appelant au secours, foncez, c'est des pièges. » Omar les connaissait, il me les a racontés en chemin. Jamais voyage ne fut plus haletant, alors même que nous ne vîmes que de braves gendarmes et de bons militaires aussi apeurés les uns que les autres. Nous avons avalé les trois cents bornes séparant Alger de Sétif en moins de quatre heures comme on le fait n'importe où en France.

30

À l'entrée de Sétif, le soleil poursuivait sa descente vers l'ouest mais il tapait aussi fort qu'une presse hydraulique à midi. Omar a sorti son plus beau sourire pour me dire : « Tu vois, m'sieur, le voyage s'est bien déroulé. » J'ai rétorqué : « Je me demande pourquoi il m'a coûté si cher. À ce tarif, on a droit à quelques morts quand même, le coucher du soleil ne suffit pas. »

Je ne le voyais pas comme ça, Rachel. Il a toujours été sérieux, distant, fermé. Avec moi, il prenait des airs de grand frère, ça me tuait. Il faut dire que dans la cité, il ne passait pas, le pauvre, avec son physique de Suédois bien nourri, super poli, ses diplômes, son job dans une multinationale, son pavillon fleuri dans le coin snob du quartier. La cité n'aime pas ça, les réussites individuelles, ça crée des jalousies, ça fait des vagues, ça réveille des montagnes de frustrations. Ça me gênait, aux yeux de certains je passais pour un privilégié, ils disaient : Demande à ton frère. Rachel aurait mieux fait d'aller vivre à Paris. Je n'ai jamais compris pourquoi il est resté chez nous. En plus, l'Ophélie était la plus sexy de la cité. Les morveux du quartier l'avait surnommée Dodanna, qui vient de dos d'âne je signale, c'est dire le canon que c'était. Quand Rachel l'a épousée, j'ai passé le message : Le premier qui l'appelle Dodanna est un âne mort. Les morveux l'ont surnommée Rachella. Ils ont grandi, ils connaissent la loi : on ne manque pas aux femmes de la cité.

Là, dans son journal, Rachel est cool, sympa, rigolo. Humain, quoi. La douleur l'a rendu humble, proche des gens. Je le crois mais je ne suis pas sûr, les gens de la cité sont de vrais malheureux mais ils ne sont pas tous humbles et les vrais humains comme tonton Ali et tata Sakina, sa femme, on ne les compte pas par milliers. Peut-être le fait de s'interroger est-il la vraie raison. Il s'en est posé des questions dans son journal. Je crois aussi que d'avoir pris la décision de rallier Aïn Deb malgré les risques et le retour de bâton l'a libéré d'un poids. On dit qu'accomplir son devoir est une satisfaction profonde.

Rachel ne dit pas comment il s'est débrouillé à Sétif et par quel moyen il a rejoint Aïn Deb. J'imagine qu'il a contracté avec un clandestin et que le tarif incluait le danger inhérent à l'arrière-pays. Le radin qu'il était avec moi a trouvé à qui parler en Algérie. D'après Momo, dont les parents sont originaires de Kabylie, on trouve de tout, à Sétif, des maisons, des rues, des cafés, des garages en veux-tu en voilà, et il y a une fontaine célèbre au milieu d'une place appelée la place de la Fontaine. Il jure que c'est la plus belle ville du monde. Il dit aussi que les Sétifiens sont comme les cow-boys qui ne descendent jamais de cheval : tous routiers ou chauffeurs de taxi, de père en fils, fiers de l'être, et que mourir au volant est pour eux un honneur dont ils ne veulent pas se passer. Je donne l'info comme je l'ai reçue. Chacun est original à sa manière.

Rachel est arrivé à Aïn Deb vers 15 heures. Il a écrit :

Mon Dieu, dire que je suis né ici, si loin de tout ! Aïn Deb, la *Source de l'âne*, n'est sur aucune carte. On ne peut même pas croire qu'on puisse tomber dessus par hasard, il n'est pas de raison au monde qui expliquerait la présence d'un homme

32

dans les parages. On ne l'admettrait pas même pour un égaré ou un fuyard, plus que d'autres ils ont le droit de se donner des chances de s'en sortir, ils se seraient tirés ailleurs aussi vite que possible. On quitte la route goudronnée à quelques encablures de Sétif et on s'enfonce à travers pistes dans un pays nu, tourmenté, silencieux, qui ouvre sur des horizons interminables. On est aussitôt pris de malaise, on se sent petit, perdu, condamné. En maints endroits, il n'y a point de frontière entre le ciel et la terre, le vide et l'ocre sont partout où l'œil se pose. On se voit avancer vers un mur de sable infini et fuyant et tout à coup on est bouleversé par l'idée que le plan est en train de se refermer derrière nous. Comment l'expliquer simplement, en termes de matheux, je dirais qu'on est entré de manière quantique dans un espace non euclidien ; pour les humains que nous sommes, il n'y a point de repères, aucun signe, aucune notion de temps, pas d'aménité possible, seulement un bruissement lancinant qui semble être l'écho de bouleversements antédiluviens. Assommé par la chaleur, je m'interroge : Quel péril les premiers hommes fuyaient-ils pour s'être isolés ici ? Pourquoi les successeurs sont-ils restés ? Quel sortilège les a enchaînés à cette terre ? C'est atroce, j'en suis venu à penser que le massacre du 24 avril était dans la logique des choses. Cette terre est conçue pour être vide, elle ne supporte l'homme que le temps de trouver le moyen de s'en débarrasser. Pourtant j'y suis né, j'y ai vécu ma petite enfance, j'y ai joué. J'ai dû l'aimer, à cet âge on est curieux de tout, ou alors on transforme son ennui en rêve et on y prend plaisir. Si j'en suis parti, c'est le père qui l'a décidé, devançant le verdict de la terre et celui des fous d'Allah qui, vingt-cinq ans plus tard, trouveront dans le vide de leur tête l'idée d'en effacer les dernières traces de vie.

Le village est niché dans une vallée étroite prise entre quatre collines pelées. Les premiers à s'être installés ici avaient clairement le désir d'échapper aux regards. Ça remonte aux origines, les tribus s'épuisaient dans leurs guerres ancestrales. Les faibles se mettaient loin de leur chemin et cultivaient la pauvreté pour conjurer la razzia. Ou peut-être la région était-elle prospère et bienveillante pour tous, et s'est-elle vidée plus tard à la suite de quelque immense malheur, une malédiction, une maladie étrange, un mystère sans nom. La sécheresse aurait suivi comme une tornade et arraché les dernières illusions. Ses enfants seraient partis vers d'autres lieux, d'autres cieux, emportant avec eux une mémoire torturée dans laquelle, par une sorte de prosopopée en boucle dont ils seraient sujet et objet, ils chercheraient vainement l'explication de leur damnation, et en contrecoup, par lassitude, par crainte, ou besoin d'expiation, ils s'empêcheraient de vivre sereinement leur nouvelle vie. Pour qui fuit, l'idée même du refuge est un danger, il y voit le piège dans lequel il finira sa course. Aïn Deb a résisté par miracle, elle avait sa source et l'envie de vivre chevillée au corps. Et là où naît le miracle, il y a toujours un bon et brave âne pour le signaler. C'est bête comme on ne connaît pas l'histoire de son pays. Je me demande combien dans le monde sont capables de raconter de A à Z, sans se perdre dans quelque beau rêve de secours, l'histoire de leur village, leur quartier, leur maison. Et sûrement très peu connaissent l'histoire de leur famille. Je ne le savais pas encore, notre propre histoire, surhumaine et folle, allait bientôt m'éclater à la gueule et me tuer.

Je me suis arrêté au sommet de la colline. Je n'avais pas la force d'aller plus loin, j'avais mal au cœur, les yeux me picotaient, la sueur me lacérait le dos. La mort était dans l'air, j'en sentais l'odeur. En même temps, je percevais une rémanence qui disait la vie et le besoin d'éternité qui va avec. Mon cœur battait à tout rompre, il accompagnait à grands coups de tambour quelque mélopée venant de loin, du fond de la terre, ou les pulsations du soleil ou les appels au secours d'une mémoire emprisonnée dans la pierre. Dans cette beauté sauvage, cette tourmente minérale, cette lumière crue, la vie et la mort ne faisaient qu'un. Vivre et mourir se confondaient ici, la question ne se posait pas, le temps était ce qu'il a toujours été, un silence sans fin, une immobilité rédhibitoire et la lumière qui monte et qui décline, de même que les saisons qui se suivent comme frères et sœurs, ne disent rien d'autre que les péripéties immuables du cycle solaire. Je me suis assis sur un rocher, le mouchoir sur la tête, et comme un vieux qui revient sur son continent, j'ai remué des souvenirs, j'ai exhumé des images. La réalité les a vite balayés, rien ne cadrait. J'avais trouvé dans un coin de ma tête le souvenir d'un grand village pimpant et joyeux, trônant au sommet d'une montagne, qui jetait goulûment ses tentacules vers les contrebas, en direction de l'oued, et j'avais sous les yeux un spectacle désolant de vérité : un petit bourg riquiqui qui semblait s'être longtemps et vainement épuisé à vouloir s'enraciner dans les hauteurs. Tout était parfaitement encaissé. Deux, trois maisons parties à l'assaut du ciel étaient restées là, à mi-chemin, inachevées, abandonnées à la ruine. Il y avait de l'eau dans l'oued et des crapauds pustuleux que nous persécutions durant la saison des amours, il y avait désormais une petite mare de poche dans un lit pulvérulent jonché de bois mort poli par le temps. Je voyais une forêt amusante, il y avait un bosquet à l'agonie. Les rues étaient pleines de vie et de chahut et voilà que, les mains en visière, j'observais des venelles désertes, des murs lézardés, un bâtard qui errait avec ses puces, une poule qui pendulait tristement, un âne qui méditait, et... mais oui... là... et là, dans cette cour, sur cette terrasse, dans l'ombre de la mosquée, des gens, des femmes, des enfants ! J'ai bondi et j'ai dévalé la colline comme un mouflon.

35

Ah, comme la vie sait se préserver, c'en est merveilleux ! Beaucoup avaient échappé à la tuerie, ils avaient fui dans la nuit épaisse, s'étaient cachés comme ils avaient pu, d'autres avaient fait le mort, il en était qui ne savaient quel miracle les avait sauvés. Au premier coup d'œil, ils m'avaient reconnu. « C'est Rachid, le fils du cheikh Hassan ! » crient-ils à la ronde. Ils étaient tous accourus et avaient formé cercle autour de moi. Déjà les petits me retournaient les poches comme à un vieux tonton qui revient de la ville. Je n'arrivais pas à me départir de ma réserve, je me tenais droit, la tête coincée, le regard oscillant, je bredouillais des formules de politesse dont l'étrangeté en ces lieux horripilait mes oreilles. Bêtement, je m'étais mis à déclamer : « Salam, salam ! » Ah ! Comme je fus salué, cajolé, remercié, félicité. Les rôles étaient inversés, les parias fêtaient le privilégié, j'étais abasourdi. Je n'ai pas reconnu mes copains d'enfance, ils avaient vieilli à pas de géant, ils étaient misérables au-delà du supportable, ils n'étaient plus très loin d'être des ancêtres grabataires que l'on sort au soleil le matin et que l'on rentre tremblants à la tombée de la nuit. Je me sentais penaud devant leurs vénérables chicots, leurs cheveux laineux, leurs rides profondes, leurs dos voûtés. Les mains étaient épaisses et pétrifiées, leur courte histoire se lisait d'un trait dans les méandres de leurs callosités. Quant aux vieux de l'époque, ils étaient identiques à eux-mêmes, peut-être plus vifs que leurs petits. Quand la fin frappe à la porte, il y a comme un regain de vitalité. Puis nous avons parlé, parlé encore, trois journées d'affilée. Mon petit arabe des banlieues françaises ne m'aidait en rien. J'ai mélangé ce que je possédais, français, anglais, allemand, mon petit arabe, mon petit berbère, et ainsi, très vite, un pont s'est établi, on se comprenait parfaitement. En vrai, nous avions peu à nous dire, le sourire suffisait, et quelques gestes et de petits salamalecs dits avec émotion. Tout se passe dans la tête, on se parle et on se répond soi-même, le regard et le geste résument le soliloque pour les autres. En tout et pour tout, on dit : « ça va, merci, Allah est grand », et on le répète au suivant en buvant du café. Je passais d'une maison à l'autre. Je retrouvais des lieux, des odeurs, et tout le mystère de l'enfance qui venait subitement éveiller en moi l'envie de courir, de fouiner, chaparder, conspirer, de me constituer de nouveaux grands secrets avec l'idée de ne jamais céder à la tentation de les partager. Nous évoquions la nuit fatale. Tous avaient perdu un être cher, un parent, un ami, un voisin. Oui, les choses se sont passées comme je les avais imaginées. Le crime est tellement lisible, il est ce que nous connaissons le mieux, ce que nous imaginons le plus facilement, il est ce qui nous est donné à voir, à entendre, à lire, à longueur d'année. Il est notre totem planté au cœur de la terre, visible depuis la lune. Il est l'histoire de ce monde. Et là, tout disait que l'Algérie venait d'écrire un chapitre spécial pour Aïn Deb et ses habitants.

On me visitait sans cesse dans notre maison familiale où régnaient le vide et tant de souvenirs partagés, dont je détenais une infime partie. Mais comme ils sont puissants, ces souvenirs d'enfance ! On me nourrissait, on se privait pour moi, on s'inquiétait de mon confort, on veillait sur ma tranquillité aux heures lourdes de la sieste, et quand la nuit commençait à peser sur mes épaules les derniers se retiraient à pas de loup en emportant leurs petits endormis. Je constatais avec bonheur que mon père était vénéré et ma mère regardée comme une bienheureuse. J'en étais flatté. On dit que les défunts laissent derrière eux une réputation et un peuple pour la juger sans merci. Mes parents avaient reçu le quitus.

Les victimes de la tuerie ont été enterrées dans une parcelle du cimetière délimitée par des pierres passées à la chaux, élevée de cette manière au rang de carré des martyrs, morts pour Dieu et la République. Une dalle de marbre cimentée à même le sol porte un texte en arabe qui le proclame solennellement. J'ai compté trente-huit tombes parfaitement alignées. Pour un si petit village, l'amputation est immense. Sur les pierres tombales, dessinés en creux, les noms des défunts, une formule coranique et un petit drapeau. C'est le chef-lieu de la commune qui a organisé et financé l'opération. La cérémonie a drainé les autorités civiles, militaires et religieuses du département, ainsi qu'une équipe de la télévision nationale. Tout ce monde est venu en cortège et est reparti en cortège dans une belle traînée de poussière, restituant au village le décor et les figurants qu'il lui avait momentanément empruntés. J'avais cette crainte que mon père, un chrétien, ne fût enterré à part, ça m'aurait chagriné. Sa tombe était dans le carré des martyrs, et celle de maman à côté. Elles portaient les noms de Aïcha Majdali et Hassan Hans dit Si Mourad. Encore cette bizarrerie. J'apprenais donc que papa s'était converti à l'islam en 1963, au moment de l'indépendance, à Aïn Deb même où un jour il était venu s'établir. On avait trouvé étrange et même inconvenant qu'un Allemand, un chrétien, ait conçu l'idée de venir vivre parmi eux mais comme il avait participé à la guerre de libération, qu'il portait le titre prestigieux d'ancien moudjahid et qu'il était de nationalité algérienne, on se félicita de cet honneur. Trois mois plus tard, séduit par la jeune et très belle Aïcha, la fille du cheikh du village, il se convertissait pour l'épouser et prenait pour prénom Hassan. Il avait quarante-cinq ans, elle en avait dix-huit. À la mort du vieux sachem, le village lui octroya naturellement le titre de cheikh. C'était une confirmation, on disait déjà le cheikh Hassan, on venait le consulter, l'écouter, il avait une solution pour tout, on s'émerveillait des changements que ses idées imprimaient au fonctionnement du village. Les étrangers de passage, il est vrai plus

38

rares que la pluie, en repartaient éblouis et non loin de croire que ce village n'était pas de ce pays. Son savoir, son expérience, son art de l'organisation, son autorité naturelle avaient voté pour lui sans qu'il fût utile de plaider. Encore une chose que j'ignorais. Durant mon enfance, j'ai toujours entendu les gens l'appeler Si Hassan, croyant que c'était là un surnom pratique, ou Si Mourad qui était son nom de maquis pendant la guerre de libération, puis cheikh Hassan pensant que c'était une nouvelle marque de respect due à son âge.

Parce que j'avais accompli le pèlerinage et que j'ai été fraternellement reçu, très vite j'ai senti la paix revenir dans mon cœur. Ma respiration s'est calmée, elle était une suite d'inspirations pleines de courage et de soupirs pleins de noble renoncement. Chaque homme, chaque femme que je rencontrais me disait ces mots qui apaisent, qui renvoient à cette immémoriale et tragique condition faite à l'homme, sans laquelle d'ailleurs il ne serait rien, un robot qui marche dans le désert, qui rouille sans le savoir : « À Dieu nous appartenons, à Dieu nous retournons... Poussière nous sommes que le vent emporte... Nul ne sait sur quoi ouvre la mort... Crois en Dieu, il est la vie et la résurrection... Allah n'abandonne jamais les siens... » Dans cette atmosphère pieuse, dans ce lieu où la mort est passée comme un vent d'apocalypse, ces formules résonnaient étrangement en moi. Si loin de tout, dans cette nudité oppressante, et vivifiante, portés par ce temps qui passe sans se presser et ces mémoires infaillibles, ces mots qui ont traversé les siècles, interrogé et humanisé l'insondable, inclinent à la patience, infinie et inébranlable, à l'acceptation, à la transcendance. On ne se voit pas marcher vers cette forme de béatitude, soudain on est un autre, quelqu'un qui regarde sereinement autour de lui, sans se poser de questions, sans s'effrayer. C'est merveilleux et terrifiant à la fois. On se refuse la vie, on se place au-dessus d'elle, la considérant comme peu de chose, éphémère et traîtresse en tout cas, pendant qu'elle nous écrase comme grains de sable, imperturbable, grandiose, impérissable, et nous fait disparaître sous le tapis.

Ces pages du journal de Rachel m'ont inquiété. J'ai résumé, j'ai pris le meilleur, le reste est un vrai bla-bla de mosquée. J'en ai soupé de ces discours. Un temps, j'avais fréquenté la cave de la tour 17 où les frères tenaient mosquée ouverte. On ne se doute pas, on devient accro après trois séances. Et il y en a cinq dans la journée et pas un jour de relâche dans l'année. On ne parle que de ça, la vraie vie, le paradis, la *djina* comme ils disent, les houris, les compagnons du Prophète, les saints de l'Âge d'or, la civilisation de Dieu, la fraternité, puis on se sourit chevaleresquement en se donnant l'accolade des anciens combattants des guerres saintes et en pensant fortement à Jérusalem, *El Qods* comme ils disent. Au début, ça allait, on chantait pour le plaisir, puis d'autres sont arrivés, à leur tête un imam du GIA, et la gentille routine facultative a tourné au cauchemar en boucle, une folie si grande que nous étions fascinés. On ne parlait que de ça, le djihad, les vrais martyrs, les mécréants, l'enfer, la mort, les bombes, le déluge de sang, la fin du monde, le sacrifice de soi, l'extermination des autres, et dehors, après la mosquée, on recommençait en plus fort. Quand, à l'appel suivant du muezzin, on redescendait dans la cave, le front ceint du bandeau noir, nous étions fin prêts pour réclamer des actes. Lorsque l'école m'a injustement banni, l'imam a applaudi : l'école est un crime de ces chiens de chrétiens, l'avenir c'est la mosquée. Je ne pifais pas l'école mais quand même, je n'ai rien contre. Il a ajouté : Je t'enseignerai ce qu'Allah attend de toi pour t'ouvrir les portes du paradis. J'ai prétexté des choses, un stage à préparer, et je me suis tiré en douce. Momo a continué fièrement mais arrivé au niveau taliban, il a compris sa douleur. À ce stade, partir c'est déserter. Les frères l'ont rattrapé et tabassé jusqu'à l'os, il en savait trop. C'est l'hôpital qui l'a sauvé, il est resté deux bonnes semaines à se faire dorloter au lit. On leur a dit qu'il était passé sous un camion. Les frères ont manigancé pour le saigner dans ses draps puis, faute de temps, ils l'ont oublié. Raymond, qui se faisait appeler Ibn Abou Mossab, c'est son vieux qui l'a rattrapé in extremis, il était trempé jusqu'au cou, il avait son billet et son manuel pour les camps de la mort de Kaboul. Il avait dix-sept ans mais, dans ses nouveaux papiers, il en avait dix de mieux et une barbe bien fournie. Le père Vincent a monté un comité de vigilance et déclenché un bordel monstre. Au bout du compte, la cave a été fermée, pour insalubrité. La mosquée s'est reformée dans l'arrière-boutique du Marocain. Com'Dad ne le quitte pas, il s'en est fait un ami.

Rachel dit qu'à son retour d'Algérie, il était un autre homme. Il parle d'un déjeuner auquel il m'aurait invité dans un resto pépère. Je ne m'en souviens pas. C'est là qu'il aurait décidé de ne rien me dire sur la tuerie, sur la mort de nos parents, son voyage en Algérie, les secrets qu'il en a ramenés, le drame qui se nouait dans sa tête. J'ai dû lui paraître insensible et débile, ce qu'il a toujours pensé de moi, ou alors il craignait que la nouvelle ne m'enfonçât davantage dans le désordre. Il a écrit des mots gentils, de ces mots que l'on dit aux pas gentils

41

pour leur faire comprendre qu'ils ne sont pas près de comprendre.

Mon pauvre Malrich, tu portes bien ton surnom. La vie n'a pas été chic avec toi. Je me sens coupable, je me rends compte que je n'ai rien fait pour être proche de toi. Je ne veux pas me donner ces excuses faciles, mes études, mes examens, mes quatre années à Nantes, mon travail si crevant dans une multinationale qui n'a d'yeux que pour son bilan, mes voyages professionnels, ma vie avec Ophélie qui, comme tu le sais, n'est pas facile à vivre, les obligations que la société nous impose. Je les ai déjà utilisées pour excuser mon indifférence à ton égard, à l'égard de notre pauvre tonton Ali qui nous a ouvert sa porte et son cœur, et de ses enfants que la vie a exclus avant qu'ils ne voient de quoi elle était faite, à l'égard de nos parents que j'ai relégués aux oubliettes sans y penser. Je me rends compte que je pontifiais bêtement quand je croyais te parler intelligemment et que je te diminuais quand je prétendais t'édifier. Le plus terrible est que je sais que tu ne m'en veux pas. Tu penses même que je suis un type bien et je sais que tu me défends avec les mêmes arguments dont j'ai usé pour me défausser. Tu te dis, il est sérieux, il bûche, il a ses examens, il court pour son travail, il voyage pour sa boîte, il ménage son Ophélie, il est dans un monde qui a ses règles. Le mal est fait et quand il est fait on ne sait pas réparer. Si j'avais le courage, je viendrais te dire que je t'aime et que je t'admire. Au sortir du restaurant, j'avais tellement honte de moi, de mon silence, de ma lâcheté. Je ne me cherche pas une autre dérobade mais je voulais aussi, vraiment, t'éviter cette souffrance, nos parents sont morts dans des conditions atroces, et ce que je sais à présent, qui me mine au plus profond, t'aurait causé une douleur terrible qui avec le temps t'aurait détruit. Il devenait important pour moi de te tenir loin de moi.

Un jour, tu liras mon journal et tu comprendras et sûrement tu me pardonneras, le temps aura passé et fait son œuvre.

Avec Ophélie, les choses ont empiré. Son Rachel n'était plus le même, il ruminait, il lisait plus que de raison, il enchaînait les voyages et revenait chaque fois plus abattu. Elle est comme ça, l'Ophélie, elle veut que tout soit nickel dans son nid. Elle refuse tout ce qui gâche son bonheur, qui met du sable dans ses habitudes, qui jette des nuages dans son jardin. C'est une vie de Barbie qu'elle a en tête. C'est une arriviste sur les bords. Le pauvre Rachel, elle le harcelait, des questions, des engueulades, des remarques, des crises de nerfs, des bouderies, des claquements de porte, des déménagements en coup de vent. C'est une nerveuse. Une fois sur deux, elle court chez sa mère et ne revient qu'après mille négociations. L'amour, c'est bête et dangereux. Sa maman l'a trop gâtée, elle ne pouvait pas devenir une vraie femme qui sait ce qu'est la misère, les malheurs, les soucis de la vie, la patience. En même temps, je la comprends, Rachel ne lui disait rien, il ne me disait rien non plus, il gardait tout pour lui. Personne n'aime se voir traiter comme s'il n'existe pas. Surtout pas Ophélie. Quand je pense qu'il m'a caché l'assassinat de nos parents, je lui en veux à mort. J'aurais tant voulu l'accompagner à Aïn Deb et me recueillir sur leurs tombes. On se serait aussi, enfin, retrouvés.

Voilà, c'est la première partie de notre journal. Rachel est rentré d'Algérie avec une autre personnalité. Physiquement, il avait changé. Je le voyais peu à cette époque, il voyageait beaucoup et moi j'étais dans une mauvaise

43

passe, convoqué devant une nouvelle commission, la menace se précisait, mais j'avais noté le changement. Une ou deux fois, je l'ai aperçu au supermarché traînant péniblement derrière Ophélie, survoltée comme une abeille qui sent le rayon fleurs à portée d'ailes. Je piquais la tangente, je ne supporte pas les discussions de supermarché. De voir ces cobayes tourner dans ce labyrinthe glacé derrière leurs caddies en parlant sérieusement de leurs drogueries, ça me tue. Moi, je passe en coup de vent, je ramasse mon truc et je disparais par l'issue de secours. Les supermarchés, ça me fait tellement chier que je trouve normal de ne pas les payer. Je me souviens de m'être dit en rigolant : Il a pris un coup de vieux, le Rachel, sa multinationale doit être fière de l'amortir aussi vite. Le déclin ne faisait que commencer. La cause en est tout entière dans la petite valise pelée qu'il a ramenée d'Aïn Deb. Elle contient les archives de papa. Elles disent son passé. En partie, le reste, Rachel est allé le chercher dans les livres, dans l'errance, en Allemagne, en Pologne, en Autriche, en Turquie, en Égypte, un peu partout en France.

J'ai essayé de comprendre ce qui a pu se passer dans sa tête lorsque dans la vieille maison familiale, en notre douar du bout du monde, il inventoriait le contenu de la mallette. Je vois ça comme ça : c'est la nuit, le sommeil l'a abandonné en cours de route, alors il se lève, prépare un thé, le sirote en pensant à nos parents, au drame du 24 avril, ou à son Ophélie qui l'attend de pied ferme, et tout à coup, cette histoire de liste des victimes trafiquée par le ministère de l'Intérieur vient le titiller. Il s'était posé la question et l'avait posée à l'ambassade. Je me la pose moi-même. Pourquoi nos parents figuraient-ils sur la liste sous des noms différents, quoique conformes à la réalité? Majdali est bien le nom de jeune fille de maman et Hassan le prénom que papa s'était donné en se convertissant à l'islam. Pourquoi son nom a-t-il été remplacé par son prénom? En fait, tout simplement, pourquoi le nom Schiller n'apparaît-il pas? Les inscriptions sur les tombes reproduisent la bizarrerie, qui en a décidé ainsi? Une trouvaille de bureaucrate? Une décision politique comme le pensait Rachel? Craignait-on qu'un étranger parmi les victimes ne fût la cause d'un branle-bas diplomatique? La presse européenne, et l'allemande en premier, s'en serait emparée, elle aurait interpellé le gouvernement algérien dont la réputation brillait sur le monde, soupçonné qu'il était de génocide, de crimes contre l'humanité, de torture, de pillage systématique, et je ne sais quoi de plus. Ça le turlupine. Il se lève, erre dans la maison, se retrouve dans la chambre des parents, cherche quelque chose sans savoir quoi et tombe sur la valise, posée sur l'armoire ou glissée sous le lit. Une alarme a résonné en lui. Je l'ai entendue quand moi-même j'ai mis la main sur elle. Rachel l'avait dissimulée dans l'armoire à outils, dans le garage, le seul endroit du pavillon où Ophélie ne regarde jamais. Et j'ai refait les gestes qu'il avait faits deux années auparavant.

On est intimidé devant un objet que l'on sait plein de secrets. Pour Rachel, l'affaire était facile, il ne s'attendait à rien d'extraordinaire. Toutes les familles en ont de pareils, une boîte à chaussures, un cartable, une mallette, on y range des papiers, des photos, des lettres, de petits bijoux, des porte-bonheur. Tonton Ali a la sienne, une super-grosse, une vraie valise d'émigré avec des ficelles et des nœuds, elle contient des centaines de certificats de travail et tout ce qu'une vie d'esclavage intérimaire lui a rapporté de papiers de l'administration, plus quelques talismans commandés au bled et une riche collection de grigris achetés chez le griot, le Sénégalais de la 14. Moi, je savais par son journal sur quoi j'allais tomber et quelle souffrance m'attendait. J'ai longuement hésité, puis j'ai ouvert d'un coup. Des papiers, des photos, des lettres, des coupures de journaux, une revue. Jaunis, écornés, tavelés. Une vieille montre en acier trempé, datant de l'autre siècle, arrêtée sur 6 h 22. Trois médailles. Rachel s'était documenté, l'une est l'insigne des *Hitlerjugends*, les Jeunesses hitlériennes, la deuxième est une médaille de la Wehrmacht, gagnée au combat, la troisième est l'insigne des Waffen SS. Il y a un morceau de tissu avec une tête de mort, l'emblème des SS, le *Totenkopf*. Les photos, prises en Europe, en Allemagne sans doute, le montrent en uniforme, seul ou en bande. Là, il est tout jeune, avec des copains de régiment taillés en athlètes, fiers de leur tenue, heureux de vivre. Sur d'autres, il est plus âgé, il porte l'uniforme noir des SS, il a le visage sévère. Il est adossé à un char, debout au milieu d'une grande cour, ou assis sur les marches d'une baraque. Sur une photo, il est en civil, habillé de blanc, très élégant, très beau, avec une belle moustache, il est en Égypte, au pied de la grande pyramide, et sourit du coin de l'œil à de vieilles momies anglaises qui lui sourient de toutes leurs dents. Des photos plus récentes le montrent avec des maquisards algériens, il porte un treillis et un chapeau de brousse. Il a pris du poids, il est super-bronzé, ça lui va bien. Sur l'une, il est dans une clairière, face à de jeunes guérilleros assis par terre. Des armes sont étalées sur une couverture. Il dispense un cours de maniement des armes. Au sommet d'un mât de fortune, flotte le drapeau algérien. Sur une autre, il est à côté d'un type en battle-dress, grand, squelettique, au regard halluciné, souriant comme s'il avait mal aux dents. Rachel l'a reconnu, il le nomme Boumediene, c'est le chef des maquisards. Les coupures de journaux sont en anglais, français, italien. L'article en français est un dossier de la revue *Historia*. Je l'ai lu. Il parle du procès de Nuremberg contre les dignitaires nazis, Bormann, Goering, von Ribbentrop, Dönitz, Hess, von Schirach et compagnie. Il parle de ceux qui ont été retrouvés plus tard, Adolf Eichmann, Franz Stangl, Gustav Wagner, Klaus Barbie... Il parle ceux qui se sont dispersés dans le monde, qui ont trouvé refuge dans maints pays, en Amérique du Sud, dans le monde arabe, en Afrique. Sont cités le Brésil, l'Argentine, la Colombie, la Bolivie, le Paraguay, l'Égypte, la Turquie, la Syrie, le Nigeria, l'Éthiopie, la Rhodésie, et d'autres. Il y a plusieurs lettres en allemand et une en français signée Jean 92, datée du 11 novembre 1962. Il faut la clé pour la comprendre, on dirait la lettre d'un receleur à un brocanteur. En gros, l'air de rien, le Jean 92 parle d'objets précieux qui auraient été retrouvés, d'autres qui auraient été localisés et ne seraient pas loin d'être enlevés, et conclut que les derniers, sur lesquels on ne sait rien pour le moment, quelques vagues indices, seraient certainement mieux dans un endroit plus sûr. Elle parle d'un enquêteur acharné désigné par les lettres SW, d'un groupe désigné par les lettres BJ et d'un autre désigné par la lettre N, affilié à une organisation hyper-dangereuse nommée : le M. Elle parle aussi d'une dame, désignée par son nom, Odessa, qui veille sur leur sécurité et leur transfert vers des lieux sûrs. Rachel a tout compris, il a mené des recherches. Le mystérieux Jean 92 termine par ce salut : HH, ton étoile des grands jours. C'est cette lettre, je crois, qui l'a lancé sur les routes d'Europe et de là jusqu'en Égypte. Il en parle longuement dans son journal. Mais il ne dit pas tout. Ou alors, pour comprendre, il faut des connaissances, et moi je n'en avais pas.

Il y a deux papiers administratifs algériens. Des décisions. La première, datée du 17 juin 1957, signée par le colonel Boumediene, chef d'état-major de l'armée des frontières, dit ceci :

Le dénommé Si Mourad est affecté au centre de formation de l'EMG, en qualité de conseiller en logistique et armement.

Copies : BE, SBLA, responsable du CFEMG, chefs des unités techniques et opérationnelles de la wilaya 8 (transmissions, transport, génie...).

La deuxième, du 8 janvier 1963, signée par le secrétaire général de l'École des cadres de l'armée de Cherchell, dit :

Art 1 : Il est mis aux fonctions du dénommé Mourad Hans, formateur civil temporaire.
Art 2 : Le chef du service du personnel est chargé de l'exécution de la présente décision.
Copie : S/direction du personnel du ministère de la Défense.
Pour info, à toutes fins utiles : bureau de la Sécurité militaire de la région militaire d'Alger.

Il y a un livret pas mal chiffonné, le livret militaire de papa. Les caractères imprimés sont en allemand gothique, ça en jette. En première page est l'état civil : Hans Schiller, né le 5 juin 1918 à Uelzen, fils de Erich Schiller et Magda Taunbach. Adresse : 12B, Millenstrasse, Landorf, Uelzen. Formation : ingénieur en génie chimique, université Johann Wolfgang Goethe de Frankfurt am Main. Dans un rectangle, est le matricule. En bas de page, il y a le nom, la signature et le cachet de l'autorité qui a établi le livret : *Obersturmbannführer* Martin Alfons Kratz. Les pages suivantes sont des tableaux compliqués où sont relevés les affectations, les grades, les citations, les décorations et les blessures, reçus au cours de la carrière. Elles sont constellées de coups de tampon. Papa a atteint le rang de capitaine, c'était quelqu'un ! Et un héros, plusieurs fois blessé, cité, décoré ! Les lieux où il a été affecté, en Allemagne, en Autriche, en France, en Pologne et ailleurs, ne m'auraient pour la plupart rien dit sans les commentaires de Rachel : Frankfurt, Linz, Grossrosen, Salzburg, Dachau, Mauthausen, Rocroi, Paris, Auschwitz, Buchenwald, Gand, Hartheim, Lublin-Majdanek. Certains sont des camps d'extermination. C'est dans ces lieux tenus secrets que les nazis faisaient disparaître les Juifs et les indésirables. Rachel parle de plusieurs centaines de milliers de morts et *Historia* de millions. Merde alors ! me suis-je dit en me prenant la tête.

J'avais lu et relu le journal de Rachel, et j'ai compris bien des choses, mais de toucher avec mes mains ce livret, ces médailles, de voir avec mes yeux ces noms, ces papiers, ces cachets, ça m'a fichu un coup. Je me sentais mal. Le fatras disait que mon père était un criminel de guerre nazi, qui aurait été pendu si la justice avait mis la main sur lui et, en même temps, ça ne disait rien, je le refusais, je m'accrochais à autre chose, plus vrai, plus juste, c'est notre père, nous sommes ses enfants, nous portons son nom, c'était un type formidable, dévoué à son village, aimé et respecté de ses habitants, qui a aidé à l'indépendance d'un pays, à la libération d'un peuple. Je me disais : il était soldat, il a obéi aux ordres, des ordres qu'il ne comprenait pas, qu'il désapprouvait. Les coupables sont les chefs, ils savent ce qu'ils manigancent et comment mener la barque pour que les exécutants n'y voient goutte, n'aient pas à réfléchir. Et puis, pourquoi remuer le passé, papa est mort, assassiné, égorgé comme un mouton, et maman aussi, et leurs voisins, par de vrais criminels, les plus haineux que la terre ait portés, qui sont là, bien vivants, en Algérie, partout dans le monde, que beaucoup soutiennent, encouragent, félicitent, ils sont à l'ONU, ils font l'affiche à la télé, ils interpellent qui ils veulent, quand ils veulent, comme cet imam de la 17 qui a toujours le doigt pointé vers le ciel pour terroriser les gens, les empêcher de penser. Je comprends la douleur de Rachel, c'est tout un monde qui s'écroule, on se sent coupable, crasseux, on se dit que quelque part, quelqu'un doit expier. Rachel l'a fait, lui qui n'a jamais fait de mal à personne.

C'est bête à dire mais je ne savais rien de cette guerre, de cette affaire d'extermination. Ou vaguement, ce que l'imam en disait dans ses prêches contre les Juifs et des bribes attrapées par-ci, par-là. Dans mon esprit, c'étaient des légendes qui remontaient à des siècles. En vrai, je n'y avais jamais pensé, je m'en tapais, nous étions jeunes, des bleus radicalement paumés, nous ne savions que les galères du jour. Rachel a écrit des pages si terribles. Ça bouillonnait dans sa tête. Des mots, des expressions que j'entendais pour la première fois revenaient fréquemment : solution finale, chambres à gaz, fours crématoires, *Sonderkommandos*, camps de concentration, shoah, Holocauste. Il y a cette phrase en allemand, je ne sais pas ce qu'elle veut dire, il ne l'a pas traduite, elle sonne comme une condamnation : *Vernichtung Lebensunwerten Lebens*. Et cette expression *Befehl ist Befehl*, que j'ai immédiatement reconnue. Ça veut dire : un ordre est un ordre. En mon enfance au village, papa la balançait souvent entre les dents lorsqu'on discutaillait trop longtemps avec lui. On n'est pas à la foire! criait-il ensuite en français ou en bon berbère. Ça m'a rappelé ce que disait M. Vincent lorsqu'on le baratinait de trop près : Fais ce que je te dis, on discutera ton idée après, si on a le temps.

J'imagine qu'après cela, Rachel est resté éveillé jusqu'au matin. Ce qu'il a écrit donne le vertige. Il avait de l'instruction, il voyait tout du premier coup et il voyait loin. Moi, j'ai besoin d'explications et de temps pour cadrer les choses dans ma tête. À sa place, le contenu de la mallette ne m'aurait rien dit, sinon la triste réalité : mes parents sont morts assassinés et je ne les verrai plus. J'aurais pensé : Papa était soldat dans son pays, puis il est venu former les maquisards algériens, point. L'étonnant dans l'affaire est qu'avec pareilles références, il soit venu s'enterrer à Aïn Deb. J'aurais été en Californie, j'aurais fait cascadeur à Hollywood ou *bodyguard* d'une riche héritière. Il était comme ça, papa, un poète un peu farfelu comme ces pauvres cloches des villes qui un beau matin abandonnent leur bel immeuble avec ascenseur et vont dans les montagnes élever des moutons que les loups mangeront avant eux. Il a choisi Aïn Deb, c'est plus loin. C'était en effet l'endroit idéal, même les Algériens ne le connaissent pas. Ne le connaissaient pas avant le 25 avril 1994.

Je termine par cette phrase de Rachel, j'y pense tout le temps, elle m'obsède : « Me voilà face à cette question vieille comme le monde : Sommes-nous comptables des crimes de nos pères, des crimes de nos frères et de nos enfants ? Le drame est que nous sommes sur une ligne continue, on ne peut en sortir sans la rompre et disparaître. » Et par cette résolution que je me suis donnée : L'imam de la 17, il faut lui couper le sifflet avant qu'il ne soit trop tard.

Journal de Rachel

Mardi 22 septembre 1994

Le visage collé au hublot, je regarde le tapis de nuages. Tout est blanc, les nuages et le ciel, immobile, étincelant à faire sauter les plombs. Je ferme les yeux. Je retrouve mes pensées, elles sont là, bien glauques, prêtes à me submerger. Je suis fatigué. J'ouvre les yeux et je regarde autour de moi. L'avion vrombit sagement, il est plein comme un œuf qui respire la santé, et la lumière est douce et la température encore plus douce. Les passagers sont plongés dans leurs papiers, se parlent à l'oreille ou dorment d'un œil. Des Allemands, pour la plupart. Des habitués de la ligne. Je l'ai remarqué à l'embarquement à Roissy, ils n'ont pas de bagages, une Samsonite sur roulettes ou un gros cartable à la main, et des magazines sous le bras. Ils pourraient se déplacer les yeux bandés, le sillon est tracé. Tous bien propres sur eux et patients comme des bonzes. Ils sont crevés mais ne le montrent pas. L'habitude, et tout un travail sur soi. Il y a dans l'affaire une histoire qui fait peur, ce côté métro-boulot-dodo qui nous tient lieu de vie quotidienne en région parisienne. C'est plus triste avec l'avion, avec ces aéroports en forme de termitière du troisième millénaire, ces liaisons internationales sous haute surveillance, ces hôtels pour commis-voyageurs en tout point semblables à des prisons de verre, ces haut-parleurs insaisissables qui débitent des contre-fatwas conçues dans le ventre d'ordinateurs souverains.

Et il y a les navettes qui prennent le relais aux points de connexion, et les métros et les trains et les taxis en file indienne, et tout ce monde va et disparaît derrière des murs hermétiques. L'anonymat est grandiose et définitif, à l'échelle de la planète et des mouvements de capitaux. Ils viennent le matin, font leur business à Paris, reprennent l'avion du soir ou du lendemain. Et déjà un autre vol les attend à l'arrivée. Dans ces allées et venues, on n'a besoin que de sa brosse à dents. Je voyage comme ça pour ma boîte, un automate qui se suffit de sa burette et d'une prise pour se raser. Je débarque, je mène mon business, je passe à l'hôtel récupérer mon nécessaire et je prends un taxi pour l'aéroport. Parfois, on fait la fête. Avec les Italiens, les Espagnols, les Grecs, ça coule de source quel que soit l'état de nos affaires. Entre Latins et assimilés, on se permet d'être libidineux et de tout se dire, ça détend. Avec les Allemands, les Autrichiens, les Suisses, les Anglais, le travail fait également office de loisir et de religion. On s'accorde des pauses-café pour parler un peu du temps qu'il fait dehors. Les plus croustillants sont ces dictatures gangrenées par la bureaucratie, la corruption et la violence. L'ambiance polar en noir et blanc, j'adore. Elles ont gardé le meilleur du socialisme d'antan, le verbe et l'embrouille, et emprunté le plus fin à ce bon vieux capitalisme qui tue comme il respire. Et tous ces gens brisés qui vont à petits pas ou qui courent derrière de pressantes rumeurs qui ne leur laissent de répit que pour mourir. Quelle noirceur, quel mystère, quelle frénésie, quelle tristesse. Et quelle joie lorsque par le plus incroyable des hasards, on tombe sur un vague planton ou un passant anodin, inattendu comme un envoyé du ciel, qui d'un geste de magicien du téléphone débloque une affaire de finance publique que l'on nous jurait, à l'instant, insoluble dans des temps humains. Alors commence la fête, on enchaîne les cérémonies pour saluer non pas la conclusion d'un honnête contrat ou la libération miraculeuse d'un virement, ce qui est sordide, mais l'amitié entre nos deux peuples et la parfaite entente entre leurs grandissimes dirigeants. Au retour on a tant de choses à raconter aux copains et le loisir d'en rajouter sans crainte de nuire à la vérité, un espion par-ci, un drôle par-là, un attentat déjoué dans son hôtel, un ministre qui étrangle sa secrétaire au plus fort de la négociation pour avoir omis un zéro sur le mémo, un autre qui pisse sur les solliciteurs qui ne sont pas de sa tribu, un raïs qui gaze un village rebelle et qui tout endimanché s'en va à tire-d'aile prôner ailleurs la repentance et un nouvel ordre mondial. En réalité, on en entend plus qu'on ne voit. En ces lieux de deuil assuré, le ouï-dire est la vraie vie de tous les jours, de chaque instant. Je n'ai jamais compris comment nos patrons arrivaient à gagner de l'argent avec ces phénomènes effrénés qui n'en veulent que pour eux. C'est vrai aussi qu'on vend des choses dont personne ne sait se passer, des pompes et des vannes, et que le prix est de notre ressort, il sera toujours plus gros que leur appétit. Nous en avons pour tous les goûts, de toutes les couleurs, des horizontales et des verticales, des manuelles et des télécommandées, des mignonnes de la taille d'une bille aux géantes rébarbatives que l'on installe d'abord et après on construit le hangar autour d'elles. Ma société est leader mondial sur ce marché. Son catalogue a de quoi séduire les plus difficiles.

Mon Ophélie, la femme la plus difficile du monde, me manque. Je voudrais tant la regagner et retrouver nos petites habitudes de banlieusards avides de tranquillité. Elle doit être en larmes chez sa bonne maman chérie, pelotonnée sur le divan, très occupée à faire mon procès et, dans la foulée, celui des hommes, Algériens et Allemands de surcroît, qui savent de naissance ce que bêtise et torture veulent dire. Je la sais inventive sur le sujet, et belle-maman bien plus. À cette heure, elles nous ont grattés jusqu'à l'os, Dieu lui-même ne peut rien pour nous. On ne se parle plus, elle boude dans son coin, je médite dans le mien. Nous avons dépassé le stade du premier pas qui nous aurait rabibochés dans le feu de la passion, le fossé s'élargit tout seul, automatiquement, froidement. La guerre tire à sa fin et la fausse paix qui s'installe sur le silence prépare la rupture. Il est peut-être mieux ainsi, je ne serai jamais plus un homme normal, ni un mari agréable à commander. Je lui ai abandonné la chambre à coucher et le salon. Je dors dans un coin de la mezzanine et je passe mes soirées dans le garage, j'y ai installé notre attirail de camping et une étagère de livres. Tout est là, en une trentaine de volumes, l'extermination du monde et les grands silences glacés qui ont suivi. Je suis incapable de dire pourquoi je l'ai tenue à l'écart de mon problème. La honte peut-être, le fait de ne pas savoir moi-même, la peur des conséquences. Se dire : « Je suis le fils d'un criminel de guerre », n'est pas comme s'entendre dire : « Tu es le fils d'un criminel de guerre ! Coupable de génocide !! » Je ne voulais pas me retrouver à parler de moi, de nous, de nos petits problèmes domestiques, de ce qu'il faut faire pour prendre sur soi, alors que j'étais face à quelque chose qui me dépasse, qui nous dépasse, qui nous dépassera toujours. Ophélie est si forte pour substituer un problème à un autre, au mépris du genre et du degré. Elle passe du coq à l'âne avec l'aisance de la sauterelle. En fin de compte, elle ramène tout à elle. Or, je fais face à l'Holocauste, une affaire à damner Dieu lui-même, pour de bon, et mon père en est l'artisan.

Pendant que je naviguais dans mes souvenirs professionnels et mes soucis familiaux, l'avion avait atteint son but. Nous roulions sur le tarmac de Hambourg. Je l'ai si souvent traversé cet aéroport que je ne le vois plus. Ce n'est après tout que du verre et de l'aluminium scintillant sous le feu des néons. Dans le mouvement, je passe inaperçu, passager parmi les passagers, Allemand parmi les Allemands. Si on me repère, c'est parce que comme tout bon Français à l'étranger, je me fais remarquer. On est comme ça, on râle quand ça traîne chez les autres. Là, j'étais sous pression, mortellement inquiet, j'avançais d'un pas vaseux. On me bousculait, me fusillait du regard, on marmonnait dans mon dos en allemand, en anglais, en japonais. Il y en avait qui se permettaient d'être condescendants, c'est dire si je dérangeais. J'ai toujours voyagé dans le cadre du boulot, guidé par le planning, pressé par le timing, accueilli en temps et lieux, ou derrière Ophélie qui s'occupe de tout, avant même que les choses se présentent. J'étais perdu, je me cherche moi-même, je remonte le temps, je fouille les ténèbres, je vais sonder le plus grand malheur du monde et tenter de comprendre pourquoi j'en porte le poids sur mes épaules. En vérité, c'est parce que je le sais que la démarche est douloureuse. Je ne pourrais jamais appréhender l'immensité du drame et revenir indemne. J'ai tellement peur de rencontrer mon père où il ne faut pas, où pas un homme ne peut se tenir et rester un homme. Ma propre humanité était en jeu.

On ne peut pas dire le contraire, Hambourg respire la santé. Une santé toute germanique. Derrière les belles apparences, il y a du solide et des intimités agréables. Vue d'Allemagne, notre douce Franckreich fait un peu camping en désordre. Nous avons notre idée de la santé, on la voit comme un péché, connotée qu'elle est à la richesse, à l'accaparement, à la lutte des classes, à la pétulance des parvenus. Si on se soigne tant, c'est sans doute pour nous punir de nos maladies bourgeoises. Imagine-t-on des révolutionnaires de vieille souche comme nous avec des idées claires, de l'embonpoint, un visage poupin, la pupille limpide? Avec mon air défait, ma mine grise et ma barbe de la veille, je portais mon drapeau en bandoulière, qui jurait avec mon physique de Nordique définitivement sain de corps et d'esprit. Mes efforts pour me rattraper furent vains, je ne savais plus être fatigué sans le montrer, m'impatienter sans m'emballer, hésiter tout en avançant d'un pas franc. J'ai loué une voiture et j'ai pris la route. C'est cela que je voulais : être seul. Seul comme personne au monde.

L'Allemagne profonde est vraiment profonde, plus que ne l'est notre pauvre hexagone ouvert aux quatre vents, cerné par les mers et les montagnes, où le peu de profondeur qui nous reste est exploité à mort par les vendeurs de randonnées et les marchands de biens. Quel drame que d'être un pays touristique. La profondeur rime avec solitude et silence ou alors c'est un décor en carton-pâte pour théâtre de plein air. Dans la profondeur allemande, qui est vraie, qui est vaste, luthérienne en plus, il y a une immobilité qui fascine, une angoisse qui ramène aux premiers âges quand tout était dans le mystère des pierres et le recueillement des âmes. On se dit que tout cela est posé pour l'éternité et pour nous, qui avons peur du lendemain, c'est le pire à envisager. J'ai traversé des banlieues immobiles, des villages immobiles, des campagnes immobiles et j'ai vu des gens immobiles devant leurs portes, dans leurs champs, penchés sur des engins immobiles. J'ai vu des corbeaux compassés au sommet d'arbres hiératiques et j'ai aperçu au loin, dans la brume, des routes désertes disparaître dans l'au-delà. Tout le mouvement est sur l'autoroute, mais on le devine comme une évidence criante, l'autoroute ne fait pas partie du pays, elle est une pièce rapportée, fermée des deux côtés, une concession à l'étranger et d'abord un moyen de le tenir à distance. Je venais regarder l'Allemagne dans le fond des yeux et déjà tout me paraissait infiniment lointain, irrémédiablement secret.

Puis, j'ai croisé des gens, qui bougeaient, papotaient, riaient aux éclats, mangeaient d'une bonne fourchette, marchaient d'un bon pas, grondaient des enfants maussades ou leur inculquaient des leçons sur un ton non pas comminatoire mais simplement sans appel. C'est aussi que la langue s'y prête, on en a vite plein les oreilles, « *Befehl ist Befehl* ». Que tout cela est vivant, familier, quotidien, coloré, et combien conforme à ce que je savais de ce pays où si souvent je suis venu, missionné par ma société. Mais à peine sorti de la station d'essence et de ses boutiques, je retrouvais l'immobilité, la profondeur, le silence. J'en voulais un peu à ces Schleus qui, un instant, le temps d'un repas, m'avaient donné l'impression que tout était normal, banal, évident, alors qu'eux-mêmes, cela se voyait comme leur gros nez à bière, ne le pensaient pas. Ils se demandaient ce qu'un prétentieux de *Franzose* esseulé pouvait bien fiche si loin de sa base pendant que moi je me demandais pourquoi ils étaient si naturels dans un décor aussi lourd de sens. Et puis, j'ai compris, je le savais bien sûr, le mystère était en moi, je portais l'interrogation dans mon attitude, j'étais une interrogation, l'interrogation. Comment faire autrement, je considérais ce pays et ses habitants avec des yeux d'homme blessé, menacé dans son être par leur propre histoire. Mon regard a dû bien les intriguer.

Hambourg, Harburg, Lüneburg, Soltau, Uelzen. Quatre petits sauts pour un honnête voyageur mais un gouffre abyssal pour un zombie brisé qui remonte le temps à la recherche de son humanité. Dieu, que j'avançais difficilement ! Je respirais de plus en plus mal. À l'entrée d'Uelzen, la ville natale de papa, mon cœur a bondi dans ma poitrine. Je m'étais préparé au choc depuis Hambourg mais voilà, je le vérifiais encore, plus on se prépare dans la vie moins on est prêt. On se fait tant d'idées que la surprise est totale. Sortis de la routine, nous voilà comme des aveugles privés de leurs cannes. Uelzen ressemble à toutes les villes d'Allemagne et d'Europe. Cet air de déjà-vu me suit partout comme mon ombre, il me siffle dans les oreilles. L'uniformité est l'avenir du monde, le commis-voyageur que je suis s'en doutait depuis longtemps, je n'avais pas à fantasmer mais quand même je me sentais floué, rien ne ressemblait à ce que mon désarroi m'avait donné à envisager. J'attendais un vieux village des années trente, couvert de suie et de fureur, épuisé par le chômage, tourmenté par des démons d'avant le Christ, et j'imaginais des racoleurs imbus de leur croix gammée courir dans la ville comme le Diable se tortille au cœur de l'humanité. Uelzen est nickel, c'est beau, c'est chaud, c'est bon pour le touriste, il n'y a rien à dire, et ses habitants avenants comme de braves artisans contents de leur sort. Papa est né dans une ville qui a disparu, emportée par la guerre, achevée par la reconstruction. Ce que je voyais disait le nouveau monde, plein de brillance et de hauteurs, le truc bien dessiné que l'on embellit à mesure que le temps vient et impose ses nouveautés, à mesure que les édiles vont et laissent leurs belles trouvailles. Sa banlieue est une banlieue, son centre piétonnier est un centre piétonnier, et là où bat son cœur, le quartier des affaires, on voit des businessmen habillés de sombre et des vigiles aux yeux vides. J'étais partout et nulle part, tout se ressemble, le tsunami de la mondialisation a gommé nos héritages, effacé nos traits intimes, on ne reconnaît ni les siens ni les autres. La ville est ce que l'urbanisme d'après-guerre en a fait, la rue Millenstrasse n'existe plus et Landorf, qui devait être un morceau de campagne en ville ou un coin de ville dans la campagne, ressemble à mon quartier en région parisienne, en deux fois plus petit mais dix fois plus costaud. Nous sommes

60

logés à la même enseigne, des ruelles paisibles, des arbrisseaux alignés, des pavillons coquets tellement ressemblants qu'on se prend pour son voisin, un centre commercial copieux tout en plexiglas et couleurs riantes qui donnent aux pauvres laborieux que nous sommes l'illusion d'être sur la vraie voie et que la fortune nous attend au terme de la vie, lorsque nous aurons fini de rembourser la banque jusqu'au dernier centime. Quel aspect avait Landorf lorsque papa usait ses souliers dans ses rues? Couvert de suie et de fureur ou corseté dans une bucolique routine? J'ai tourné, j'ai humé l'air comme j'ai pu avec l'espoir que l'intuition me parlerait, j'ai abordé des gens dans la rue, les bars, et d'abord les vieux qui trimbalent leurs souvenirs comme une bibliothèque. Le bide. « Millenstrasse? Connais pas. » Le nom de Schiller n'évoque rien, pour personne, sinon, chez certains, le grand Schiller. Flatteur mais sans intérêt dans mon affaire. Les Allemands sont serviables, trop, ils désespèrent lorsqu'ils se voient désarmés, ne pas pouvoir aider les humilie. Ils ne désertent pas pour autant, ils s'empressent d'orienter l'égaré vers mieux indiqué. Ils insistent : « Voyez vite avec la poste, elle a les adresses », ou : « Allons demander à la charcutière, elle sait tout. » Échec et mat, la guichetière de la poste m'a exhorté à présenter sur-le-champ une demande écrite et la charcutière du quartier m'a chaudement conseillé de voir avec la police. La chose à ne pas faire, questionner l'administration, j'aurais à répondre à ses questions, je ne m'en sentais pas la force. On ne s'y hasarde pas en France, on n'a pas assez de temps à vivre pour le regretter. Je cherchais mon père et personne ne pouvait m'aider. J'étais un enfant perdu.

Inutile de traîner dans le coin. Inutile de courir l'Allemagne, ce que je cherche, notre terrible histoire, est effacé, oublié, mis sous le boisseau. Je m'apprêtais à reprendre la route, je n'étais pas armé pour cette quête, je n'avais que ma peine et un livret militaire jauni pour me guider. C'était compter sans le hasard. Il fut superbe sur ce coup. Avec mon sandwich sous le bras, acheté chez la charcutière pour la féliciter par un acte concret, j'ai rejoint un jardinet public dédié aux mamans et aux enfants de Landorf. Désert. Ça tombait bien, j'avais besoin d'être seul et déjà je l'étais comme personne au monde. Et voilà qu'un bon vieux en pantoufles et casquette, le menton hérissé, vient sur moi. Il cherchait la compagnie, le pauvre. Ils sont partout pareils, les barbons, toujours en quête d'une oreille libre et infaillibles pour repérer le traînard. Il avait une phrase toute prête pour m'entreprendre : « *Gut Appetite!* — *Danke* », ai-je répondu sur le même ton enjoué avec l'espoir qu'il aille voir ailleurs. Il s'est assis à ma droite et s'en est roulé une avec une lenteur d'escargot. Le temps de finir mon casse-croûte et lui son mégot, nous savions tout l'un de l'autre, c'est-à-dire rien. Nous avions bien l'air de deux clochards qui ont trouvé un banc à se partager. Nous avons passé en revue le temps, la vie et le couple franco-allemand. Ce n'est pas compliqué, il n'y a jamais cru, à ces histoires. Pour lui, le franc c'est du papier journal, il regrettait amèrement le mark souverain qui avait bâti la puissance de la mère patrie et encore plus l'avènement de l'Europe qui est en train de la miner lentement mais sûrement. « N'y gagnent que les profiteurs et les chômeurs », a-t-il conclu. C'est un discours d'extrême droite ou je ne m'y connais pas. La maman d'Ophélie s'en régale devant moi toute l'année. J'ai pris un air raciste et j'ai renchéri : « Et les étrangers! » Quand je lui ai dit que j'étais allemand, français et algérien, et que ça ne me gênait nulle part, il a ouvert la bouche. De quelle couleur parle-t-on à un caméléon sans le vexer? On parle de choses et d'autres, comme de braves gens qui ne comptent pas le temps. Il m'a appris qu'il était retraité depuis longtemps, que sa chère Hilda était morte dans son sommeil en sa soixante-dixième année et que son rêve était de revoir le château de Versailles avant de mourir. Je lui ai appris que j'étais en mission à Hambourg pour mon entreprise et que j'en avais profité pour concrétiser mon rêve de voir Uelzen, et tout spécialement ce beau quartier de Landorf où est né mon père, Hans Schiller, il y a soixante-seize années. Le déclic s'est produit là, à cet instant. Il a sursauté et son visage s'est illuminé. « Hans Schiller, dites-vous ? » Cet homme m'a été envoyé par le ciel, je le crois aussi dur que deux et deux font le compte. Il connaît papa et aussi sa famille et tous ses amis dont il était. Et comble de bonheur, il avait une vraie mémoire, vive et précise. Cet homme, je n'avais pas le droit de le perdre. Je l'ai entraîné dans un bar à chocolat et je l'ai abreuvé de questions. En fait, les questions venaient de lui, moi je louvoyais, je ne voulais pas l'aborder frontalement et révéler le passé de papa. J'attendais de voir de quel bord il était, ancien nazi, victime des nazis, ou un pauvre bougre qui est passé entre les gouttes sans le savoir, et quels étaient ses penchants actuels. Je jouais le gars qui écoute son pépé avec de grands yeux. Il faut toujours commencer par le plus simple et laisser venir. Par petites chiquenaudes, je le poussais à la rêverie, à la confidence. Je lui ai dressé un tableau des plus charmants de la famille Schiller, véritable et parfaite synthèse entre l'Allemagne, l'Algérie et la France, trois pays amis qui se sont abondamment entre-tués. Ils m'ont donné mon père, ma mère, ma femme et toutes mes croyances. J'y ai mis de la poésie et tout l'exotisme possible. Un coup de pinceau et j'ai fait de ma banlieue parisienne un havre de paix incomparable et de Aïn Deb une oasis miraculeuse où il faisait bon écouter chanter le vent du Sud et voir danser les libellules pendant que les vieux se rôtissaient au soleil parmi les lézards. C'était comme ça dans mes souvenirs d'avant la tuerie du 24 avril

1994. Il répétait sans cesse en me fichant des tapes dans le dos et sur les genoux.

« C'est un vrai miracle, vous êtes le fils de Hans !

— Le miracle est que vous êtes son ami d'enfance et que je vous rencontre sur ce banc. Qui le croirait ? »

Après cela, et une autre tournée de chocolat crémeux, nous reprenions le fil de la conversation.

« Ah, ce brave Hans !... De quoi est-il mort, au juste ?

— *Off*... vous savez, l'âge... je veux dire qu'il était très malade... il a... il est mort subitement.

— *Ach*, quelle tristesse ! Il aurait dû rester en Allemagne, notre bon air est une jouvence. Qu'est-il donc parti faire en Afrique ?... Quel pays, dites-vous ?

— L'Algérie. Il était coopérant. Il formait des militaires.

— *Ach*, c'est pas bon, ça... ces pays n'ont pas besoin de militaires, ils leur sucent le sang. D'ailleurs, il y a la guerre là-bas, non ?

— Comme vous dites, une sale guerre, menée cependant au nom d'Allah Akbar et de Sa Sainteté le raïs, ce qui excuse tout, les exterminations et le reste. Dites-moi ce qu'était Landorf en ce temps, mon père, sa famille, vos amis.

— Quand ?

— Au moment de la guerre.

— *Ach*, c'est loin, tout ça. Il ne reste rien, rien de rien, je suis le dernier de la bande et comme vous le voyez, mon garçon, la vie n'a rien de palpitant. »

Silence. Regard embrumé sur une amnésie volontaire. C'était clair, l'homme et ses amis avaient suivi la même voie que papa. Ou l'inverse. Pouvait-il en être autrement, les jeunes sont ainsi, ils se suivent, se précèdent, ils sautent dans le premier train qui passe sans voir où il va. Notre ZUS est ainsi, une gare livrée à elle-même, on embarque comme on veut, tous les trains affichent le paradis et vont en enfer. Il faut resquiller pour descendre.

« Vous disiez ?

— Hans était un solide gaillard, très engagé, il a accompli son devoir comme nous tous... et puis voilà.

— Papa nous parlait beaucoup de ce devoir, il racontait son temps dans les *Hitlerjugends*, les grosses blagues des bons camarades, les réunions nocturnes bien arrosées, les grandes retraites au flambeau, puis le service dans la Wehrmacht, le départ pour la guerre... et le reste. Moi-même quand j'étais petit, à Aïn Deb, j'ai été de la Jeunesse FLN, les *Flnjugends* du pays, c'était obligatoire, et j'ai pas mal activé. Parfois, ça me manque, on était envoûté, on vilipendait à tour de bras, on défilait matin et soir, on épurait nos rangs avec entrain et on chantait nos victoires en hurlant avec les loups...

— Les loups ?

— Une façon de parler.

— C'est quoi, FLN ?

— Le Front de libération nationale, le Parti national socialiste du grand Raïs, vous ne le saviez pas ? Bon, revenons à nous, au Troisième Reich.

— Il n'y a rien à dire, fiston, c'est le passé. La guerre nous a séparés, chacun a eu sa part et puis voilà.

— Mais encore ?

— Je n'ai plus revu ton père, je l'ai perdu de vue à Paris... en juin 41. Nous avons pris un peu de bon temps avec les camarades et chacun a rejoint son unité. À la fin de la guerre, quand je suis rentré, Uelzen était un champ de ruines. Ma famille, la tienne et d'autres avaient disparu sous les bombardements.

— Comme dans mon village Aïn Deb, et la guerre ne fait que démarrer en Algérie.

— Hans est enterré là-bas ?

— Oui, avec maman et tous nos voisins. »

65

Silence. Hochement de tête. L'homme était dans ses souvenirs, c'était le moment de le toucher au bon endroit.

« Après la Wehrmacht, mon père a rejoint les SS et il s'est retrouvé dans les stalags, Dachau, Buchenwald, Auschwitz... Le saviez-vous ? »

Il m'a longuement regardé, puis il a hoché la tête. C'était oui ou peut-être non. J'ai murmuré :

« En étiez-vous ? »

Silence.

« Cela faisait-il partie du devoir ? »

Silence.

« S'il vous plaît. »

Silence. Ponctué d'un geste d'énervement.

Je ne sais à quoi j'ai obéi, j'ai sorti le livret militaire de papa de ma poche et je le lui ai tendu. Il ne comprenait pas mon geste. Après une hésitation, il l'a pris, l'a tourné, retourné, puis l'a posé sur les genoux pour mettre ses lunettes et il l'a feuilleté avec une lenteur d'escargot. Ses mains tremblaient. Ses lèvres aussi. C'était une erreur de ma part, j'ai senti qu'il ne dirait plus rien. J'ai répété :

« S'il vous plaît. »

Silence.

« Nous parlions du devoir...

— Le devoir... on l'accomplit, et puis voilà.

— En toutes circonstances ? »

Il se leva et d'un ton las se dit à lui-même :

« Il est l'heure de rentrer. »

Il regarda devant lui, le ciel bleu, dans la direction de la Germania, comme s'il y cherchait une réponse juste, puis il me fixa à nouveau dans les yeux pour me dire :

« Ton père était un soldat et voilà tout. Ne l'oublie pas, mon garçon. »

Et il partit. Il avait la démarche d'un vieillard inquiété par son ombre. Il m'a fait de la peine, je le voyais rentrer chez lui, se mettre au lit tout seul et mourir cette nuit d'un retour de fièvre. Que voulait-il dire en invoquant le devoir comme seule explication de la marche du monde? Parlait-il pour mon père ou pour lui-même? Ou pour moi? Derrière ce mot, le devoir, on peut tout mettre, entraîner des peuples entiers et les jeter dans l'abîme. Et puis voilà!

Je suis descendu aux toilettes, j'ai pissé un coup puis je me suis longuement lavé les mains en me regardant dans la glace : « C'est bien ce que tu te répètes depuis Aïn Deb, non : papa a obéi aux ordres, il a fait son devoir de soldat. » Jusqu'au bout. « *Mein Ehre heißt Treue*, mon honneur se nomme fidélité. » J'avais envie de vomir.

Si c'est un homme

Vous qui vivez en toute quiétude
Bien au chaud dans vos maisons,
Vous qui trouvez le soir en rentrant
La table mise et des visages amis,
Considérez si c'est un homme
Que celui qui peine dans la boue,
Qui ne connaît pas de repos,
Qui se bat pour un quignon de pain,
Qui meurt pour un oui ou pour un non.
Considérez si c'est une femme
Que celle qui a perdu son nom et ses cheveux
Et jusqu'à la force de se souvenir,
Les yeux vides et le sein froid
Comme une grenouille en hiver.
N'oubliez pas que cela fut,
Non, ne l'oubliez pas :
Gravez ces mots dans votre cœur.
Pensez-y chez vous, dans la rue,
En vous couchant, en vous levant ;
Répétez-les à vos enfants.
Ou que votre maison s'écroule,

Que la maladie vous accable,
Que vos enfants se détournent de vous.

PRIMO LEVI

À ce poème, Rachel a ajouté ces vers :

Les enfants ne savent pas ;
Ils vivent, ils jouent, ils aiment.
Et quand ce qui fut vient à eux ;
Les drames légués par les parents ;
Ils sont devant des questions étranges,
Des silences glacés,
Et des ombres sans nom.
Ma maison s'est écroulée et la peine m'accable ;
Et je ne sais pas pourquoi.
Mon père ne m'a rien dit.

Journal de Malrich

Mercredi 9 octobre 1996

Momo et Raymond sont passés au pavillon et m'en ont raconté une terrible, mais ces salauds en parlaient comme d'un fait divers vu à la télé. J'aurais pu ne pas les entendre alors que c'était un vrai drame. Et le drame, j'en savais un bout, je baigne dedans, plongé que je suis dans le journal de Rachel. Et c'est maintenant que vous le dites ? me suis-je écrié. La mob était en panne, répondit ce menteur de Momo. C'est l'histoire de Nadia, une beurette de seize ans, apprentie coiffeuse chez Christelle, Aux ciseaux d'or, c'est à côté de la station RER. Elle a disparu. Je la connaissais sûrement mais ces filles se ressemblent toutes à la mèche près, je n'arrivais pas à mettre un visage sur le nom. On devrait les obliger à se distinguer l'une de l'autre, on ne sait jamais, la preuve est faite. C'est qui, Nadia ? ai-je demandé. Pff, une meuf ! a répondu ce nullard de Momo, et Raymond d'ajouter : Elle habite la 22, son père c'est Moussa, le métallo, le gars qui a une Ami 6 verte. Ceux-là aussi se ressemblent tous, Moussa, Abdallah, Arezki, Ben Machin, et d'ailleurs on ne les voit jamais, on ne les entend pas. Leur métro-boulot-dodo commence à l'aube et finit tard le soir, sauf le dimanche, le jour du Seigneur,

71

qu'ils occupent dans de lointains bistrots ravagés par la nostalgie à tenter qui le loto qui le turf. Quand on les voit passer, c'est des ombres pliées en deux qui entrent dans la nuit ou qui en sortent. La cité s'est lancée comme un seul homme à la recherche de Nadia, les parents, les voisins, les gamins, la police, les pompiers. Ça courait dans tous les sens. Les femmes étaient aux balcons, à pleurer, à prier, à relancer leurs hommes. On a parlé d'une fugue, puis d'un enlèvement, et depuis hier on parle d'un meurtre. Les télés sont arrivées et se sont embusquées dans les coins les plus dégueulasses, les no man's land où même nous les habitants de la cité on ne va jamais. On a appris que la fille avait été agressée par un barbu, un jeune de la tour 11, une étoile montante, réputé pour ses séjours à Kaboul, Londres et Alger, qui s'est donné pour titre l'Éradicateur d'Allah. Il lui reprochait sa tenue, ses cheveux fluo et de fréquenter les garçons, qui plus est des infidèles, des *kouffars*, comme ils disent. Il l'a giflée, lui a craché au visage et en lui arrachant les cheveux lui aurait dit : Dernier avertissement! La scène s'est déroulée dans la cage de la 22. Un bambino qui dégringolait l'escalier quatre à quatre à cet instant en a été témoin. Il a raconté aux copains et de proche en proche l'info est arrivée chez Moussa qui, ni une ni deux, a empoigné un couteau et a foncé à la recherche du barbu. Au bas de l'immeuble, les voisins l'ont ceinturé, désarmé et discrètement l'ont conduit chez Com'Dad. La rencontre s'est tenue sans témoins au supermarché entre deux rayons du fond. Le barbu a été arrêté et relâché vingt-quatre heures plus tard. Pas de cadavre, pas de crime, pas de coupable. Son avocat, un autre barbu en costard et bonnet blanc, connaissait la musique, il a rameuté les associations, les chancelleries islamiques, les confréries, les marabouts, les réseaux dormants et il a réveillé le ministre de l'Intérieur. Le ciel était noir de fax, saturé de décibels. Com'Dad était vert de rage, on le priait de relâcher l'assassin et de rouvrir la mosquée de la 17. Pas de vagues, Paris s'en tient à la thèse de la fugue. L'Éradicateur faisait le fier, il avait son ticket pour le paradis, la *djina*, comme ils disent ; en sus, il ridiculisait la police et confirmait héroïquement son statut d'émir de la cité. Et ce matin, coup de tonnerre, l'horreur absolue : la pauvre Nadia a été retrouvée dans la cave d'une boutique fermée depuis longtemps, entièrement nue, ligotée avec du fil de fer, le corps et le visage carbonisés au chalumeau. Les parents l'ont identifiée sans hésitation. C'est leur enfant, ils le sentaient bien. L'émir a été cravaté à la sortie de la mosquée. Il aurait dit à Com'Dad en crachant le feu : Allah Akbar, ton heure viendra. L'imam a aussitôt décrété une grande messe sur l'esplanade pour honorer le héros, soutenir ses dignes parents et lever des fonds pour la cause. Elle aura lieu vendredi à 12 h 30. Il a lancé une fatwa : Les absents auront tort, Allah les punira sans faiblir. Se désolidariser d'un frère en islam agressé par les *kouffars* est le plus grand des péchés. Il y aura foule. J'en serai. Ma décision n'avait rien de spontané, je m'étais promis de lui couper le sifflet à ce SS qui veut transformer notre cité en camp d'extermination, l'heure était venue.

Nous sommes sortis et nous avons fait le tour de la cité pour rassembler les copains, Cinq-Pouces, Garçon-de-Café dit Bidochon, Togo-au-Lait, Manchot et Idir-Quoi notre bègue, et nous sommes montés présenter nos condoléances à la famille Moussa. Il y avait foule devant la 22 et tout le long de l'escalier. Nous avons attendu notre tour. Putain que c'est dur! La maman nous a tués, elle ne disait rien, elle regardait ses mains posées sur les genoux et gémissait comme un chat écrasé, et Moussa la regardait en hochant la tête. Et nous, nous les regardions en retenant notre respiration. Puis nous sommes allés saluer la patronne de Nadia. En nous voyant, elle a sursauté et en deux pas elle s'est approchée du téléphone. Étant le blondinet de la bande, je suis entré seul et je lui ai expliqué notre démarche. Elle est venue sur le pas de la porte et nous a écoutés marmonner dans le vide. On ne savait quoi dire. Et d'ailleurs, elle sanglotait, elle ne nous entendait pas. C'est une drôle d'impression que de se sentir en sympathie avec des gens que l'on ne connaît pas. De la voir pleurer, nous avons pleuré. Nous avions l'air de cons secoués par le vent. Bon, trêve de chialeries. Nous avons rejoint la cafétéria de la gare. Réunion au sommet au fond de la salle. Il nous fallait réagir, montrer nos couilles, sauver notre cité. En nous voyant débouler, un petit couple qui se léchait le nez dans le coin a vite levé l'ancre. Nous étions huit et nous avions l'œil mauvais. Le patron s'est approché avec son sourire d'indic innocent, nous a servis et il s'est retiré près de sa sonnette d'alarme. Entre nous, le ton est vite monté. Les uns, comme ce minus de Momo, ne voyaient pas ce qu'on pourrait faire, et les autres, Raymond en tête (on l'appelle Raymou quand il déconne), ne juraient que par le contre-djihad. Les extrêmes, toujours les extrêmes. Je leur ai dit :

— Il faut tailler la tête et la tête, c'est l'imam.

Silence. Murmures. L'imam, quand même...

— Putain, vous êtes nuls ou quoi, il nous a niqués jusqu'à l'os, moi, toi Momo, et toi le Raymou de mes deux qui te faisais appeler Ibn Abû Merde et qui étais prêt à aller tailler tous les Afghans comme si ça concernait ta famille, et toi Cinq-Pouces qui jouais la grenouille de mosquée de 4 heures du mat à minuit...

— Mmmmmoi jjjje dis quiii'il faut aaaa alerter les pa les papa les parents...

— Idir, si c'est pour dire des conneries, il vaut mieux te taire. Les parents, ils disent qu'il faut alerter la police, la police dit qu'il faut alerter les juges, les juges disent qu'il faut alerter le gouvernement, le gouvernement dit qu'il faut alerter les maires et les maires tu sais ce qu'ils disent : Basta !

— Donc ça revient à nous.

— Bravo, Bidochon ! On n'alerte personne, ce sera ça de gagné.

— Y a rien à faire, ils sont partout, les barbus, ils ont le fric, les avocats, les armes, les réseaux, des amis haut placés, des ambassadeurs...

— Le contre-djihad, y a que ça, utiliser les mêmes techniques, noyauter les réseaux, infiltrer...

— D'accord, on le fera à nous huit. Et avec quelle religion, ton contre-djihad, t'as une idée ?

— Hé, Manchot, t'es avec nous pour parler ou pour rêver de ton bras ? Tu dis quoi ?

Bon, j'arrête, c'était pour donner un échantillon de notre discussion. Nous avons levé la séance sur trois conclusions, celle des amis de Momo : On est niqués et quoi qu'on fasse on sera niqués. Celle des amis de Raymou : Au djihad opposons le contre-djihad. Et celle de mes amis à moi : L'imam, il faut le tailler. Et c'est cette dernière que je vais suivre.

Sur ce, nous sommes retournés au pavillon avec quelques packs de bière pris au supermarché. La veillée d'armes sera longue.

Jeudi 10 octobre

Nous avons tiré la journée à traîner. La cité était en deuil. Les hommes tenaient les murs de leurs immeubles. De petits groupes qui se voulaient solidaires dans la peine et la passivité. De quoi parlaient-ils ? À quoi pensaient-ils ? À Nadia, à ce qui leur arrivait ? À rien, peut-être. On aurait dit des déportés qui attendent que le temps passe, que quelque chose surgisse à l'horizon, que la terre s'ouvre sous leurs pieds ou qu'on leur dise de vite rentrer chez eux suivre le feuilleton de la télé. Ils avaient l'air tellement abattus, tellement honteux, ça m'a révolté. Les barbus étaient dans leur mosquée à tirer des plans et leurs kapos arpentaient le camp d'est en ouest, observant les gens comme on observe des prisonniers inutiles. Devant la 17 étaient stationnées plusieurs bagnoles. Propres sur elles, donc étrangères à la cité. Nous allions changer de coin quand, surprise surprise, voilà le Com'Dad qui sort de la cave, flanqué de plusieurs personnes, des gars de la mairie, des mecs qui turbinent dans les associations et des inconnus au bataillon. Il y avait ce diable d'imam que Com'Dad tenait par le bras comme on raccompagne un ami pour lui rappeler les choses à ne pas oublier. Putain de putain, la France qui négocie avec les SS ! Et dans leur bunker ! Ça a de la gueule, ça ! Car c'est de ça qu'il s'agit, le Com'Dad, on le connaît, il est de la nouvelle école de police : l'ennemi, on en fait un ami et on le travaille gentiment. Putain de nous autres, nous sommes morts, la république marche à reculons, le bâton dans le cul !

Vendredi 11 octobre

7 heures du matin.

Mes aïeux, jamais vu ça ! Vide, la cité. L'esplanade, les rues, les balcons, les parkings. Pas un chat. Pas l'ombre d'un passant. Pas même les vieux Africains en babouches de zébu qui ont toujours marché avec le soleil, qu'il vente ou qu'il pleuve. Si quelqu'un veut tourner un film sur la fin du monde, c'est le lieu. Je n'imaginais pas que notre cité était si dégueulasse, si tristement froide, si désespérément mal fichue. Avant, tout me paraissait normal. On l'aimait bien, notre cité. On allait, on venait, sans rien voir. Quand j'entendais des gens se plaindre de la saleté et du bruit, j'étais partant pour les incendier. Ils nous insultent ou quoi ?

On avait l'air fins, les huit mousquetaires. On venait pour la vengeance et pas un chat en face. On était sûrs de notre coup, on connaît la musique. Quand les barbus organisent une manif, ils le font en pros, ils commencent aux aurores, après la première prière, la *fidjr* comme ils disent, puis ils courent aussi vite que des adjudants, passant d'une boutique à l'autre, d'une tour à l'autre, pour arracher les gens à leurs occupations et les entraîner dans leur sillage. Une heure après, le compte est bon. Ils les rassemblent sur l'esplanade, les encerclent, les tassent comme du petit bois, et à coups de Allah Akbar et de

77

mégaphone les mettent en feu. Quand ils les lâchent, plus moyen de les reprendre.

8 heures.

Marre d'attendre. Nous avons piqué sur la mosquée. Fermée. Nous étions déçus de voir que les barbus s'étaient déculottés. La peur aurait-elle changé de camp? Ont-ils été démontés par l'ampleur de la mobilisation pour Nadia et ses parents? Leur service de renseignement fonctionne mieux que la CIA, ils ont compris que les gens ne les suivraient pas sur ce coup. Honorer un assassin, saluer le crime et louer Allah de la même voix, ça ne passe pas, la cité n'aime pas. Question de dignité.

Il y avait une autre explication à l'absence des barbus : les CRS. Ils étaient partout et nous ne les avions pas vus! Planqués dans leurs camping-cars aux abords de la cité. Salauds, va, ils nous frustraient de notre vengeance, c'était les barbus ou nous, ça devait se passer comme ça! Le silence de la cité disait bien que la partie était pour nous. Ils pourront maintenant se poser en hommes de paix, jurer qu'ils se sont abstenus pour ne pas offrir l'occasion aux voyous, aux provocateurs, aux ennemis de l'islam et de la république, de profiter de leur rassemblement en faveur des victimes. Ils sont les rois de la récupération. Rien ne les fait rougir, ces crocodiles.

Je m'apprêtais à me lancer à la poursuite de l'imam pour lui tailler une croix gammée sur le front lorsqu'une voix m'appela par mon nom : Malrich!... Malrich!... Approche un peu... Approche, j'te dis! C'était Com'Dad. Il sortait d'une voiture banalisée. Je me suis avancé, les mains dans les poches.

Avance par ici! me dit-il en me tirant par le coude. Puis il me mit la main ici et là pour voir si j'avais un couteau ou un bazooka. Un coup d'œil aux copains suffit pour les immobiliser sur place.

— Inutile de finasser, je sais ce que tu projetais avec tes Pieds Nickelés.

— Mais rien... on allait à l'agence voir si des fois...

— Ta gueule!

— J'vous jure, monsieur le commissaire.

— Écoute bien, l'imam c'est notre affaire, pas la tienne, et je ne te le dirai pas deux fois. Si tu lui dis bonjour seulement, je t'embarque pour tentative d'homicide. Et je t'interdis de tourner autour de la mosquée comme tu le fais depuis hier avec tes guignols. Compris?

— Non, j'comprends pas! On n'a pas le droit de marcher maintenant ou quoi?

Il me reprit par le coude et me plaqua contre le mur.

— Écoute, petit, je sais d'où te viennent ces idées, c'est le journal de ton frère, mais tu n'as rien compris, lui n'est pas sorti tuer des gens parce que d'autres l'ont fait, il a cherché à comprendre...

— Il en est mort.

— Allez va, va, rentre chez toi, va!... et emmène tes guignols! À 18 heures, je te veux dans mon bureau... et les mains hors des poches!

Nous sommes descendus sur Paris. Marre de la cité. On a traîné au Châtelet, à Beaubourg, et on a fait la moitié de Sébastopol pour taper un cousin de Togo-au-Lait qui est dans la postiche et le produit de beauté cancérigène. Une affaire de famille. Puis on a été casser la croûte sur les quais. Puis nous sommes montés traîner sur les

Champs-Élysées, c'est un autre monde, on se demande si c'est en France. Puis, nous nous sommes repliés sur les Tuileries pour causer sérieusement. J'avais une question à leur poser :

— Parmi nous, il y a un traître. J'aimerais savoir qui. Ce serait pas toi, Momo ? Ou toi Togo-au-Lait qui as voté comme lui pour la lâcheté ?

Après une heure de ping-pong, je suis arrivé à la conclusion que ça pouvait être n'importe qui, eux, les copains auxquels ils ont raconté notre réunion au sommet, le bistrotier de la gare qui avait l'oreille sur nous. Je n'ai pas écarté l'hypothèse que Com'Dad a deviné nos intentions rien qu'à nous voir debout à 7 heures du mat devant la mosquée. Nous, on est de la nuit et tout le monde le sait.

— Bon, on se les gèle, moi je rentre, monsieur le commissaire m'attend pour le thé.

18 heures.

Le commissariat est une baraque en parpaing creux et verre blindé plantée à la frontière de la cité. Un mur chez nous, un mur dans le quartier de Rachel. Les flics me connaissent. Babar qui était de service au comptoir de renseignement m'a fait un geste du pouce. Il désignait le couloir. Je connais, le bureau du chef est au bout. Porte capitonnée. Com'Dad est chez nous depuis une dizaine d'années. J'ai commencé la cité en même temps que lui, j'arrivais d'Algérie, il débarquait d'une autre banlieue, quelque part dans le Nord. Un spécialiste des ZUS. Je ne sais pas s'il a avancé chez nous. À mon avis non, c'est toujours pareil sauf que les petits voyous ont grandi, que les grands ont grossi et que les vieux balafrés jouent les parrains revenus de la guerre. Quant aux autres, les familles, les gens, ils vivent leur vie comme avant, un peu le travail, un peu le chômage, un peu l'hôpital. Les jeunes sont dans le circuit du social ou dans le circuit scolaire, ou entre les deux, le circuit de la galère. Rien de changé depuis dix ans sinon l'arrivée des islamistes, ces derniers temps. Il paraît que c'est à cause de la guerre en Algérie, à Kaboul, là-bas au Moyen-Orient, et je ne sais où. Ils auraient fait de la France une base de repli, une plaque tournante. En tout cas, ils nous ont niqué la vie, c'est à cause d'eux qu'on traîne jusqu'à plus soif. Putain de leurs morts, en deux temps trois mouvements, ils ont levé des troupes et pris le pouvoir. Le temps d'ouvrir les yeux, tout était changé, la mode et le reste. Le vide n'a pas tardé. L'économie a délocalisé, les commerces, les bureaux, le petit trafic qui aidait les chômeurs à patienter. C'est leur technique, boucher les horizons, faire du bruit à l'est et appauvrir les gens pour les rapprocher du paradis. Des moutons qu'ils pilotent au doigt et à l'œil. Nous en avons été, les copains et moi, Raymou et Momo surtout, un peu parce que nous avons gobé le discours de leur führer, Engagez-vous, vous aurez tout, l'argent et la *djina*, un peu parce qu'ils nous collaient à la djellaba, on ne pouvait pas montrer le nez sans les voir débouler au pas de gymnastique et nous réciter les dix commandements du kamikaze. Putain de leurs morts, en fait de *djina*, nous avons fréquenté le commissariat, le tribunal, les stages forcés. Il ne manquait que le bagne. Nous étions marqués pour la vie. Com'Dad nous a talonnés de près, puis quand il a vu qu'on revenait de ces bondieuseries à la Mad Max, il nous a aidés avec la mairie. On s'est tapé des formations, des apprentissages, des visites orga-

81

nisées, des palabres avec les députés. Ça ne mène à rien mais ça occupe.

— Approche un peu. Assieds-toi là. Tu veux un thé ?

— Non.

Sur ce, nous avons causé : il parlait tout seul en tournant dans le bureau et moi je l'écoutais d'une demi-oreille. À son habitude, il a commencé par ce qui lui tenait à cœur, la cité, l'avenir, la république, le droit chemin, puis il a continué sur nous, avec l'air de l'ami qui te veut du bien.

— ... Il faut que tu le saches, bonhomme, ton frère était un type vraiment bien. Face à ce que tu sais,... à propos de ton père, il a eu la seule attitude digne pour un homme : il a cherché à savoir. Que ce soit pour les crimes d'hier ou d'aujourd'hui, c'est la première étape : *on doit d'abord comprendre* (il l'a dit un mot après l'autre, en détachant les syllabes), on ne juge pas d'un bloc. Quand tu portais le kamis et la barbichette, j'aurais pu me dire : c'est un islamiste, un terroriste, je vais me le faire. Eh bien non, j'ai cherché et j'ai compris, tu n'es pas des leurs, tu es Malrich, un type formidable, et t'as envie de vivre ta vie comme chacun. Rien n'est simple, le suicide de ton frère le prouve. Il a cherché à comprendre mais hélas peu à peu il a glissé, il en est arrivé à se sentir coupable de ce que les nazis et ton père ont fait aux Juifs pendant la guerre, il lui en voulait mais en même temps c'est son père, il voulait le voir comme tout homme veut voir son père et en être fier. Il le voulait d'autant plus fort que vous n'avez pas vécu avec lui, il vous manquait, et en plus il a fini d'une façon horrible, égorgé par les islamistes, et votre mère aussi et tous ces pauvres gens qui n'avaient que le soleil pour voir le jour. Plus il avançait dans ses recherches, plus il le découvrait et plus ça lui faisait mal. Il s'est passé quelque chose dans sa tête, un truc bizarre, le ressort s'est inversé, il s'en est pris à lui-même. Son père, il le voyait comme un criminel de guerre, mais surtout comme un père, comme un homme qui s'est battu pour la liberté en Algérie, qui était aimé et respecté dans son village, comme une victime des islamistes et quelque part du système politique algérien qui a enfanté ces monstres. C'était trop, il a culpabilisé jusqu'à s'en vouloir pour sa réussite sociale, ce qu'il croyait être son égoïsme vis-à-vis de toi et de votre famille, cette vie confortable qui était la sienne. Voilà qui explique peut-être pourquoi il s'est coupé de vous, toi, sa femme, vos parents adoptifs, c'était sa façon de vous protéger. Au bout du compte, il a tout pris sur lui, il s'est jugé à la place de son père. Le suicide était alors l'issue fatale, la seule façon pour lui de concilier l'inconciliable. Tu comprends ?

Je ne sais pas ce que j'ai répondu. Rien. J'étais dans un trou noir. Je voyais des ombres... mon père, ma mère, Rachel qui s'enfonce dans la folie, cette pauvre Nadia qui hurle à la mort, l'émir qui marche sur elle avec une torche, l'ombre de l'imam qui plane sur la cité, je pensais au génocide de Aïn Deb, à... je... Je ne sais plus. Je me souviens d'avoir crié :

— Pourquoi vous me parlez de ça, qu'est-ce ça a à voir ?

Il s'est penché pour me dire :

— Tout ! Je sais ce qui se passe dans ta caboche. Tu fais un télescopage entre hier et aujourd'hui, entre Rachel et toi, entre ton père et l'imam, tu penses aux nazis qui t'ont volé ton père, qui en ont fait l'instrument d'un génocide, tu penses aux islamistes qui ont tué tes parents et cette pauvre Nadia, tu veux te venger, en commençant par l'imam parce que c'est le chef, le führer, parce que toi-même tu as fait partie de cette bande de minables qui veulent supprimer l'humanité, et que c'est là une façon pour toi de te racheter, de voir ton père autrement, de lui pardonner. Tu comprends ?

— C'est des salades, tout ça. Je peux partir ?

— Tu peux. Mais relis bien le journal de ton frère et tu verras peut-être ce que lui-même n'a pas vu alors qu'il avait tout compris : on n'efface pas le crime par le crime, ni par le suicide. On a la loi pour ça et pour le reste on a sa mémoire d'homme et sa jugeote. Et surtout cela : nous ne sommes pas responsables ni comptables des crimes de nos parents.

— Je peux partir ?

— La porte est ouverte, reviens quand tu veux.

Je suis monté chez tonton Ali et tata Sakina. Je dormirai chez eux, cette nuit. Je m'en voulais, voilà plus d'un mois que je les ai abandonnés. En vrai, j'étais mal, j'avais peur de me retrouver seul dans le pavillon, je ne sais pas ce que j'aurais fait. Il y avait une autre raison : je voulais interroger tata Sakina. Je ne m'étais jamais posé la question, Rachel non plus d'ailleurs, il n'y a rien dans son journal sur ce point : Quelles étaient les relations réelles entre papa et tonton Ali ? C'est fou le nombre de choses que l'on ne sait pas, que l'on ne voit pas, alors qu'elles font partie de nous, de notre quotidien. Dix ans que je vis chez eux et je ne sais rien d'eux, rien de leur relation avec papa.

Tonton Ali et tata Sakina sont comme on peut les imaginer : des émigrés qui sont restés des émigrés. Rien de changé, ils vivent en France comme ils avaient vécu en Algérie et comme ils vivraient sur une autre planète. Ils disent que c'est Allah qui décide et cela suffit. Ce sont de braves gens, ils ne demandent rien à la vie, du pain, un coin pour dormir, de la tranquillité, et de temps en temps des nouvelles du bled. Ils adorent les lettres. C'est moi qui lisais leur courrier et qui écrivais le leur. Une corvée à laquelle je pense aujourd'hui avec tendresse. Papa leur envoyait des lettres pour émigrés : « Cher Ali, je t'écris ces quelques lignes pour te faire savoir que je vais bien ainsi que toute la famille. J'espère que vous allez tous bien, toi, ta femme et les enfants. On vous embrasse. » Puis il raconte un peu le village et le temps qu'il fait. Et eux répondaient : « Cher Hassan, nous avons reçu ta lettre et je te remercie. Nous sommes heureux de savoir que vous allez bien. Allah soit loué. Ici tout va bien, les enfants vous embrassent. Donnez-nous bientôt de vos nouvelles. Que la paix d'Allah soit avec vous. Je t'ai envoyé les médicaments que tu m'as demandés, j'espère qu'ils te parviendront. Si tu as besoin d'autre chose, fais-le-moi savoir. » Puis ils racontent un peu la cité et le temps qu'il fait. J'en ai écrit comme ça des dizaines. Je changeais seulement la date, la température et les noms des médicaments.

Au moment de leur parler, je me suis rendu compte que je ne pouvais pas. Nous n'avons jamais échangé que des formules. Je leur disais : Bonjour, bonsoir, j'ai faim, je sors, et eux me disaient : Bonjour, bonsoir, tu as faim ? Tu veux un café ? Couvre-toi, il fait froid, Dieu te garde.

Le reste, c'était du silence, des attitudes, des gestes que l'on fait en famille.

— Tata... comment se sont-ils connus, tonton Ali et papa?

Je n'ai jamais vu tata Sakina s'étonner de quoi que ce soit. Elle me répondit tranquillement.

— Ils se sont connus au maquis, c'était de grands amis, des frères.

— C'est tout... et après?

— À l'indépendance, la vie était difficile, la misère nous dévorait, les gens dormaient dans les rues pendant que les chefs festoyaient dans les palais des grands colons et s'entre-tuaient pour le pouvoir. Ton père et Ali étaient dégoûtés. Ali a émigré en France pour ne plus voir ça. Dès qu'il a trouvé du travail, il est rentré demander ma main et je l'ai suivi. Allah a veillé sur nous, nous n'avons jamais manqué de rien.

— Et mon père?

— Je sais qu'il a eu des problèmes avec ses chefs. Certains voulaient qu'il quitte l'Algérie et menaçaient de le tuer, d'autres souhaitaient le garder pour continuer à former des officiers.

— Pourquoi lui en voulaient-ils?

— Je ne sais pas. Ali te le dirait mais il n'a plus sa tête, le pauvre. Je sais qu'il a caché ton père plusieurs mois dans notre village en Kabylie, puis lorsque nous sommes venus en France ton père est parti se cacher à Aïn Deb, chez un autre compagnon de maquis. Il s'appelle Tahar, c'est ton oncle. Ton père a épousé sa jeune sœur Aïcha. Il est mort il y a longtemps, vous n'étiez pas nés, ton frère et toi.

— Pourquoi papa n'est jamais venu en France?

— Je ne sais pas, mon fils. Il a fait la guerre à la France au temps de l'Allemagne et en Algérie il avait peur qu'on l'arrête.

— Tonton Ali a pris les armes contre la France, pourtant il vit ici et jamais il n'a eu de problèmes.

— Alors, il avait ses raisons, je ne sais pas lesquelles.

— Pourquoi il nous a envoyés en France, chez vous, au lieu de nous garder avec lui, avec maman. C'est normal, ça ?

— Ne juge pas ton père, mon fils. Il pensait à votre avenir, il voulait vous voir faire des études sérieuses, réussir dans la vie, vivre tranquilles. Pourquoi tu demandes ça ?

— Pour rien, tata... pour rien.

— Tu n'es pas bien, mon fils, depuis le décès de ton frère, tu n'es plus le même. Tu as perdu ta joie, tu réfléchis trop. Mais ce n'est pas grave, tu es jeune, Allah veille sur toi.

Cette nuit, j'ai dormi comme un bienheureux. C'était la première fois depuis longtemps.

Journal de Rachel

Mars 1995

C'est la descente aux enfers. Tout va mal. Ophélie me tanne, elle ne me laisse pas de répit, elle me veut comme j'étais, comme elle m'a connu, point à la ligne. Je comprends la fascination que les feuilletons télévisés, genre Les Feux de l'amour et compagnie, exercent sur les femmes au foyer, ils racontent la même histoire, avec les mêmes mots, dans le même décor, avec les mêmes acteurs qui en vingt années de tournage et plus ne vieillissent que de quelques jours, sans incidence aucune sur leur caractère, ce que pas une vraie ménagère au foyer n'est en mesure de remarquer. C'est leur façon, peut-être, de prendre une revanche sur la vie. Mais je la comprends, mon Ophélie, tout a basculé pour elle, elle se voit vivre avec un inconnu, un intrus mal fichu, un étranger pas folichon, un malade qui rumine des abominations d'un autre temps, d'un autre monde. Cet homme n'est pas le sien, il n'a rien à fiche dans sa vie, dans notre feuilleton d'amour. Je prenais sur moi mais j'y arrivais de moins en moins. Je me cachais derrière le boulot, j'inventais des crises et des crashs, les choses qui se dérèglent, la morosité des affaires dont parlent les spécialistes, les négociations de plus en plus cruelles, les Chinetoques, les Hindous, les Dragons, des mal lavés qui nous attaquent par le flanc et pillent nos marchés, la réunionite aiguë qui s'est emparée de l'état-major de la société, les ordres qui fusent à flux tendus, les séminaires qui se suivent en file indienne, les syndicats qui craignent pour leurs privilèges et poussent au pourrissement. Je lui raconte nos supposés déboires comme on raconte un film de guerre à un pacifiste ou à un objecteur de conscience, j'y mets le suspens et ce qu'il faut de bonne morale pour légitimer la violence de nos ripostes. On se bat pour nos emplois, pour nous, pour elle. Elle se fiche de ça. Rien à ses yeux ne justifie mon silence, mes absences, mes cernes, mon petit appétit à table, mon indolence au lit, et rien ne justifie la présence chez nous de ces livres, dégueulasses comme elle dit, sur la guerre, les SS, les déportations massives, les camps d'extermination, l'industrie de la mort, les procès qui ont suivi, la traque des criminels de guerre à travers la planète, dont je faisais une consommation continue. Un jour, elle a menacé de les balancer dans la cheminée mais elle a vu mon regard et elle a deviné que ce serait la chose à ne pas faire. Je les ai déplacés au garage et j'ai verrouillé mon placard à outils. Parfois, elle lâchait des mots qui me faisaient un mal de chien. Je sais qu'ils dépassaient sa pensée, elle les tenait de sa mère. Un jour, elle m'a dit : « Vous, les cafés crème, vous êtes tous pareils, bonnet blanc et blanc bonnet, et imprévisibles avec ça ! » Ce à quoi j'ai répondu : « Tu diras à ta mère qui pourtant a la tête sur les épaules, près du bonnet, qu'on dit : blanc bonnet et bonnet blanc, c'est pas pareil bien que ça veuille justement dire que c'est pareil. » Elle a boudé une pleine semaine pour cette petite correction de rien du tout et sa mère m'a téléphoné pour me dire d'une voix aiguë qu'elle n'avait pas de leçons de français à recevoir d'un étranger. Comme je ne voyais pas de quoi elle parlait, j'ai répondu : « C'est relatif, belle-maman, vous savez, l'étranger n'est étranger que pour l'étranger. Dans l'absolu, c'est un homme comme les autres et il ne lui est pas interdit d'aimer Molière et Maupassant. » Elle m'a raccroché au nez. Un soir, alors que je rentrais avec de nouveaux livres sous le

bras, Ophélie m'a dit avec une distraction qui m'a effrayé :
« C'est pas nous qui les avons tués, ces Juifs, pourquoi tu t'y
intéresses tant ? » La phrase de trop. Je lui ai répondu avec le
même effroyable détachement : « Précisément, ce n'est pas
nous mais ça aurait pu être nous ! » Je n'ai pas essayé de lui
expliquer plus avant, elle avait changé de sujet : « Maman vient
dîner ce soir, fais-moi le plaisir d'aller me changer cette tête. »

Belle-maman est un cas. Qu'elle soit grosse, moche, intempestive et bêtement sophistiquée n'est pas un scandale en soi.
C'est même amusant de la voir jouer la Castafiore en son
château. Le problème, c'est sa langue, elle tuerait une vipère.
Ne parlons pas de son regard, il paralyserait une nichée de
crotales. Avec elle dans les parages, on ne peut pas respirer
une fois sans penser au pire.

« Rachel, vous me décevez, vous voilà bien piteux. Vous vous
laissez aller, mon cher. Chez nous, on ne...

— Ce n'est pas votre cas, belle-maman, vous êtes égale
à vous-même, ça fait plaisir. Cela dit, ici c'est chez moi. »

Le dîner s'est arrêté là. Elle a quitté la table en hoquetant.
Sa fille m'a balancé la serviette à la figure et l'a suivie. Une
minute plus tard, la porte extérieure a claqué comme si un
ouragan des Tropiques l'avait emprunté. Le pavillon a vibré
jusque dans ses semelles de béton. J'ai fini mon dîner avec le
plaisir envoûtant d'avoir sauvé la vie à quelques-uns de nos
amis les reptiles.

Le lendemain, un problème m'attendait au bureau. Un autre.
Quand ça va mal, ça empire en même temps. J'étais convoqué
chez le patron. Au ton de la secrétaire, j'ai compris : un savon
m'attendait. Je savais pourquoi. C'était dans l'air, on parlait
dans mon dos depuis quelque temps. Quand j'ouvre une porte
quelque part, tout le monde change de sujet en même temps.
J'étais inquiet mais pas trop, M. Candela est un ami, un frère.

C'est lui qui m'a recruté, formé, qui m'a appris les ficelles du métier et il m'a remis sur pied chaque fois que notre merveilleuse machine à sous me mettait sur les genoux. Nous avons deux points communs, l'école d'ingénieurs de Nantes où un certain temps il a enseigné la mécanique des fluides et l'Algérie où il est né ainsi que toute sa tribu depuis l'ancêtre basque. Quand il a vu mon CV, tilt, ça lui a sauté au cœur. J'étais embauché. Il avait besoin d'un condisciple et d'un vrai compatriote à ses côtés, en son royaume, la prestigieuse direction des ventes Europe/Afrique. Et d'un ingénieur efficace, ce que je croyais pouvoir devenir rapidement. J'avais vingt-quatre ans, un diplôme tout frais et la tête bourrée d'idées neuves. J'étais verni, j'avais un ami cher et plein de beaux voyages en perspective. Six mois plus tard, j'emménageais dans notre pavillon de rêve et j'épousais mon Ophélie de toujours avec le consentement et les roucoulades de sa maman. Ce furent des temps heureux, nos pieds ne touchaient le sol que parce qu'il le fallait pour marcher.

Le patron était dans une posture de boss recevant un sous-fifre qu'il a pris en grippe. Maussade, méprisant. C'est un bon vivant du Sud, ça ne lui va pas de jouer le dur qui vient du Nord. Je n'avais pas refermé la porte qu'il me flinguait : « T'as l'intention de continuer longtemps comme ça ? » C'est sa façon de parler au boulot, à l'américaine, pas de préambule, on commence par la fin. Ce n'est pas si bête, après tout nous sommes là pour gagner des sous, pas pour en perdre. La religion de la boîte tient en trois mots : *Time is money* et son dieu est *Mister Dollar*. Notre multinationale est cent pour cent amerloque, elle n'a d'étranger que le marché, et nous autres, le personnel de maison, les employés, petits *Frenchmen* bavards et gaspilleurs, heureusement payables en francs courants, qu'elle regarde comme des Infidèles.

« Je traverse une mauvaise passe.

— Très original. Avec Ophélie ?

— Pas vraiment.

— Monsieur ferait-il des états d'âme ? »

Alors, je lui ai tout dit. La tuerie du 24 avril et le passé de papa. Le tout en moins de cinq phrases, comme nous procédons en réunion de débriefing. J'ai laissé mes états d'âme de côté. Et lui son étonnement et toute forme de questions.

« On va sortir en parler au café. Mais je te le dis tout de suite, le boss veut ta peau, ou ma tête. Tes résultats sont catastrophiques sur les six derniers mois. Et son service de renseignement a évidemment relevé tes absences jour par jour, heure par heure. Tu as battu tous les records, bravo ! J'ai intercédé mais bon, on est dans une multinationale, pas dans une église. Tu vas donc me redresser ça et tout de suite. Sinon, à la fin du trimestre, tu ramasses ton paquetage. C'est clair ? »

En clair, j'étais débarqué. La temporisation obéissait à des considérations annexes, le syndicat qu'il ne faut inquiéter sous aucun prétexte, la réglementation, la paperasse qui doit faire son chemin d'un bureau à l'autre. La compagnie se portait comme un charme mais le rendement *per capita* est le rendement *per capita*. On porte cette loi dans la tête comme un malade porte son thermomètre dans la bouche. La philosophie de la boîte est simple comme une exhortation biblique : « Si un arbre est malade, coupons-le avant qu'il ne contamine notre belle forêt. » Le *Nous* veut dire ce qu'il veut dire, la troupe fait sienne la décision du boss et en porte la responsabilité. Le système d'intéressement qui est le nôtre le veut ainsi. Comment l'annoncer à Ophélie ? Elle refusera de le croire. Motus et bouche cousue, demain est un autre jour, laissons-lui ses surprises.

Le patron a cette faculté régalienne de comprendre sans qu'il soit besoin de lui expliquer. Ce fut bref, j'ai vu dans ses yeux mi-clos toute la sagesse du monde mais aussi toute la célérité avec laquelle les vieux sages lèvent les bras devant le Mal. Il m'a dit en touillant son café à toute vitesse :

« Crois-en quelqu'un qui sait de quoi il parle. Dans ma famille, nous avons tout connu, la misère, la guerre, la déportation, et encore la guerre et l'exil et le mépris, la solitude et le reste. Écoute-moi donc. Tu vas immédiatement mettre un point final à cette histoire sinon elle va te détruire. Un, tu fais le deuil de tes parents. Tu ne les ressusciteras pas en te lamentant sur toi-même. Chaque année, comme un bon fils, tu te rendras sur leurs tombes et tu prieras pour le repos de leur âme. Tu les remercieras de t'avoir donné la vie et tu leur diras que tu en profites autant que possible, sans folie ni arrogance. Pour le reste, l'Holocauste et toutes les barbaries de ce monde, prie Dieu que cela ne se reproduise jamais. C'est tout ce que tu peux faire. Lis, milite si tu veux, apporte ta petite pierre, mais pas davantage. Tout ce que tu feras de plus viendra du diable, ça voudra dire que tu auras versé dans la haine, que l'esprit de revanche s'est emparé de toi. Malheur à toi si la fascination du Mal te prend. Tu deviendras un monstre et tu ne le sauras pas. Maintenant, on remonte au bureau, le travail fait partie de la thérapie. »

C'est encore la méthode américaine, on débarrasse la table, on crache dans la main et on reprend le volant. Autrement dit, on soigne le mal par l'oubli qui est le mal absolu. J'étais déçu. Mais pas tant. Il est bon que les choses se passent aussi de cette manière. J'attendais de M. Candela qu'il m'éclaire, il m'a éclairé. Mais la lumière suffit-elle ?

Plus tard, dans l'après-midi, il m'a téléphoné pour me dire que je pouvais compter sur lui pour tout et il a raccroché comme le fait un vrai chef quand il a fini de parler. J'aurais voulu lui dire merci mais j'étais pris de vitesse et je dois dire que dans le domaine des effusions, je suis assez partisan de la méthode bouddhique : moins on en dit, mieux on s'entend.

Après le boulot, je suis passé à la librairie. Un livre à récupérer. Le dernier. Le chômage ne nourrit pas son homme, même avec un honnête RMI et quelques actions en réserve. Le libraire, avec lequel je partage des atomes crochus, me le tendit avec une petite malice dans l'œil : « C'était le livre par lequel il fallait commencer vos recherches », m'a-t-il dit. C'était vrai. Je n'y avais pas pensé. Pressé que j'étais par l'horreur, j'ai commencé par la fin, le procès de Nuremberg, et de fil en aiguille je suis remonté aux origines, la recherche des criminels de guerre, la découverte des camps, le débarquement, la guerre elle-même, la crise politique, etc. Jusqu'à l'origine. Et l'origine était bien ce livre. Lorsque, quinze jours auparavant, je l'avais demandé au libraire, il avait secoué la tête et m'avait dit : « Mmm! Difficile à trouver, il est interdit. Je vais essayer, sinon il faudra voir avec les bouquinistes... je vous donnerais des adresses. » Finalement, il l'a déniché, ce livre par lequel le plus grand drame du monde s'est abattu sur nous. Sur moi. *Mein Kampf.*

Je ne sais combien de fois je l'ai lu. D'abord avec rage et boulimie, puis avec calme, un calme de plus en plus tendu. Je voulais trouver la clé, la magie par laquelle des hommes sains de corps et d'esprit comme mon père ont accepté de se dépouiller de leur humanité et de se transformer en machines de mort. Il n'y a rien, de la bibine, des propos de petits saligauds en campagne, des prétentions de chefaillons qui se rêvent dictateurs éternels, des slogans pour affiches électorales de république négrière : « Tuez un Juif, Dieu vous le rendra », « Un Aryen vaut tous les bons à rien du monde », « Préservez notre sang, gare à la contamination », « Votre voisin est malade, déficient? Achevez-le ». Si le Mal n'a pris que ce chemin pour désarmer les Allemands et en faire des nazis, chapeau ! J'imaginais une démonstration imparable, une alchimie de mots infiniment complexe, des révélations foudroyantes sur le complot mondial contre le peuple allemand, des réactions en chaîne grandioses d'un chapitre à l'autre, des circonstances hors du commun savamment agencées, j'imaginais que Satan en personne avait écrit certains morceaux et fourni l'encre pour le reste, le détail, l'anecdote. Rien de tout ça. Il a suffi d'un caporal imberbe et grandiloquent, un barbouilleur syphilitique et dépressif, une addition de sentences bien tournées avec un titre viril, *Mon combat*, et un contexte socio-économique appelant à la jérémiade, à la vindicte, à l'accusation, à la surenchère. Il y a le reste, bien sûr, au premier ou au second plan, l'histoire du pays, des ancrages dans de lointaines sectes qui ont traversé les siècles, des fables antédiluviennes chargées d'un ésotérisme nébuleux, des résonances et des dissonances curieuses avec ceci et cela, des théories perdues, des mythologies retrouvées, des philosophies nouvelles nées dans le feu de l'action, des rêves effervescents sortis droit de l'asile voisin ou du bar du coin, et ce que le progrès technique et les révolutions scientifiques peuvent susciter d'appétit de puissance dans une société en mal d'elle-même. Mais c'est aller chercher trop loin, quel pays n'a pas de vieux démons dans ses vieilles caves, quel pays n'a pas ses marchands d'armes et de rêves d'éternité, quel peuple n'a pas dans ses os deux trois gènes cabossés par l'histoire, quel peuple n'est pas exposé aux mouvements chaotiques de la vie, et quelle église n'a pas été foudroyée par des lumières scientifiques inattendues ? L'humanité est une, il n'y en a pas trente-six, et le mal est en elle, dans sa moelle.

Je m'enfonçais, je le voyais bien. Et en plus je me débattais dans les contradictions alors qu'il faut s'accrocher au plus simple. Il n'y a pas de raison à ce qui arrive. Chercher une origine au mal est absurdité, il est, avant même la création. Inventer des processus à cliquet et des explications à ressort ne sert à rien et tout mettre sur la balance la détruit, la fausse sûrement. Je m'en tiens à cela, le mal est un accident perpétuel qui envoie contre le mur autant les bons que les mauvais conducteurs. Le bien n'a cours que le temps des enterrements, ce sont les seuls moments de la vie où nous voyons avec nos yeux ce que nous sommes : de la poussière que le prochain courant d'air emportera. Car, et je le crois, c'est cela le bien : voir sa propre fin dans celle des autres. Rien n'est plus dissuasif, rien n'est plus bénéfique. S'ils meurent nous mourons, tout est là. Mais il n'y a pas de bien, le mal est roi. Ce qui est arrivé à mon père est arrivé à d'autres, en Allemagne, ailleurs, hier, avant-hier, et arrivera encore et encore, demain et après-demain. Tant que la terre tournera autour du soleil, tant que la vie, cette folie douce, fréquentera l'homme, son antidote, cette folie furieuse, il y aura des crimes, des criminels et des victimes. Et des deuils à n'en plus finir. Et des complices. Et des spectateurs. Et des despotes qui se lavent les mains de nos souffrances. N'empêche, ce crime n'est pas comme les autres, et c'est à cette étrangeté absolue que je fais face. Seul. Seul comme personne au monde.

En relisant ce que je viens d'écrire, je me rends compte que j'ai éludé l'essentiel, que j'ai noyé le poisson dans un charabia de mauvais philosophe. Il faut voir les choses en face. Elles sont comme elles sont, rien ni personne, pas même Dieu, ne peut revenir là-dessus et changer la donne : mon père a agi de lui-même, en toute conscience, et la preuve de cela est que d'autres ont refusé de le faire, ils ont accepté de le payer de leur vie ou ont émigré à temps. Une autre preuve, irréfutable comme le jour, est qu'il a conservé ses archives comme des reliques pieuses, ce livret militaire tel un acte de naissance, ces médailles tels des sacrements et ce maudit *Totenkopf* telle une consécration. Quand on ne peut rien contre la machine totalitaire et ses infamies, quand on est pris dans le piège et que l'espoir est fini, il reste ce recours ultime pour se préserver : le suicide. Il est le dernier rempart de notre humanité, notre joker, invisible, invincible. C'est cela que fait le loup, cette bête fantastique, quand sa patte est prise dans le piège, il la ronge, la déchire et retrouve la liberté, entière, intacte, troublante comme une fée d'amour, ou il se débat jusqu'à la dernière goutte de sang et meurt d'épuisement et de merveilleux soulagement. Une fois le crime accompli, papa avait encore cette possibilité, se livrer et réclamer justice au nom de ses victimes, pour se retrouver, retrouver sa dignité. Il a fui, il s'est caché, il a dissimulé, il s'est renié au bout du compte, et par là il a laissé le crime impuni, il l'a protégé de son silence. Il l'a consacré. J'aurais voulu qu'il suive ses chefs, les *Bonzen* du Troisième Reich, les Hesse, Ribbentrop et compagnie, devant le tribunal des hommes. Le jugement solennel restitue à l'horreur toute son ignominie et redonne au coupable un peu de son humanité perdue. Le silence est la perpétuation du crime, il le relativise, il lui ferme la porte du jugement et de la vérité, et lui ouvre toute grande celle de l'oubli, celle du recommencement.

La question me rend fou : papa savait-il ce qu'il faisait à Dachau, à Buchenwald, à Majdanek, à Auschwitz ? Je ne peux plus croire qu'il fut une victime, un jeune innocent et fragile que le Mal a pris à son insu, ou contre son gré. Même si cela était, il y a toujours un moment, une fraction de seconde, il y a toujours une circonstance, aussi infime soit-elle, la conjonction inattendue et fugitive d'images insupportables qui amènent la révélation, le doute, la révolte. À cet instant, quelque chose crie en nous, il ne peut en être autrement ou alors rien n'existe, ni Dieu, ni homme, ni vérité. Comment ne pas réagir, ne serait-ce que par un imperceptible désarroi au cœur, devant le regard halluciné d'un enfant malingre qui grelotte de froid dans la solitude d'un camp de la mort, d'une femme nue qui se cache le pubis pendant qu'on la conduit au four crématoire, *une femme qui a perdu son nom et ses cheveux, et jusqu'à la force de se souvenir, les yeux vides et le sein froid comme une grenouille en hiver,* d'un homme qui s'accroche à une dignité détruite depuis longtemps pendant qu'on lui arrache les derniers lambeaux de son humanité, *un homme qui meurt pour un oui ou pour un non.*

Je me dis ceci : si un seul crime demeure impuni sur terre et que le silence l'emporte sur la colère, alors les hommes ne méritent pas de vivre. Dans un monde mieux fait, je me serais constitué prisonnier. J'aurais mis mon costume noir et je serais allé devant le juge et je lui aurais dit : « Mon père a torturé et tué des milliers de pauvres gens qui ne lui ont rien fait et il s'en est sorti. Aujourd'hui je sais ce qu'il a fait mais il est mort, alors je viens me livrer à sa place. Jugez-moi, sauvez-moi, s'il vous plaît. » Dans ce monde-là, on ne me trouvera pas même risible, on me verbalisera pour offense à magistrat, on me renverra, on me sermonnera. Mon Dieu, peut-être me fera-t-on un clin d'œil ! Je ne peux rien d'autre que gérer mon affaire tout seul. Or, je ne sais pas, tout est subit, tout est secret, tout est immonde, tout est malmené par les faux-fuyants et les atermoiements de l'après-fin de monde, on croit de nouveau que le mensonge est une bonne protection sociale pour les peuples, un cadeau efficace pour les enfants rebelles, une manière de vivre réconfortante pour les gens soucieux. Je me dis n'importe quoi, je suis empêtré dans la fantasmagorie, emporté par elle, je ne vois pas de bouée où je pourrais m'agripper. Je suis seul. Seul comme personne au monde ; ce monde qui me paraît si lointain, si faussement préoccupé, replié sur lui-même, sur ses velléités, ses petites jouissances, ses folies, dont il se nourrit comme un cannibale se nourrit de lui-même, sans doute obnubilé par son temps, son drame, ses rêves, son impuissance. Je réagis bien sûr, je ne suis pas de ceux qui se complaisent dans la souffrance et je hais toute idée fixe. Je me dis que tout cela est de l'histoire et que l'histoire appartient au passé, et que le passé est mort avec les siens, on a oublié, on ne sait plus, on a relativisé, on a nos problèmes d'aujourd'hui et c'est déjà trop, c'est affreux, on ne voit pas de solutions alors que demain, notre seul choix dans la vie arrive à toute allure avec ses cruautés et ses désespoirs. Pour moi, c'est tout un monde qui m'est tombé sur la tête, c'est tout le Mal depuis les origines qui me regarde dans les yeux, me fouille le cœur, les tripes, qui se rappelle à mon souvenir, qui me rappelle à son bon souvenir, me parle sans cesse de ce qui fut, de ce que nous fîmes. Cette image me torture, le brouillard m'étouffe, j'ai mal au crâne... ça bourdonne... il y a comme une clameur... je vois un camp lugubre... une procession d'ombres... des hommes, des femmes, des enfants, innombrables, nus, décharnés, qui avancent en bon ordre sous le regard glacé d'un SS vers un immense brasier, qui... *au secours!*... je m'enfonce dans la fantasmagorie... J'appelle à l'aide... je cherche mon père... *Où es-tu, papa, que fais-tu?* Je veux le trouver, le réveiller... me réveiller... sauver mon père... mon père qui s'est perdu, qui nous a perdus... *Ma maison s'est écroulée et la peine m'accable et je ne sais pas pourquoi, mon père ne m'a rien dit...* Ah! le voilà, impeccable dans son uniforme noir, rehaussé par un brassard rouge fameux... Il me sourit... de ce beau sourire de père, tendre et sévère... Je ne sais comment c'est arrivé, je suis avec lui, comme à la maison à Aïn Deb, nous habitons un beau chalet à l'écart du... le camp... le stalag... il y a un joli bois devant, des fleurs et de belles couleurs, et derrière la butte là-bas se trouve... ce *lieu* tout noir, tout gris, où je n'ai pas le droit d'aller... Je joue avec d'autres enfants, des enfants d'officiers et quelques-uns qui viennent de ce *lieu* pour complé-

100

ter nos jeux, nous tenir compagnie, nous servir de passe-temps, de souffre-douleur à nos impatiences, à nos caprices... mais ils nous ennuient, ils sont maigres, malades, pouilleux, scrofuleux, n'ont pas de cheveux, pas de dents, ils jouent mal, ils sont silencieux, bêtes, on ne les comprend pas, ils ne pensent qu'à manger, qu'à se chauffer, qu'à roupiller... on les gronde, on les bat, mais ils n'entendent pas, ils se mettent en boule comme des hérissons... Autour, des loques inhumaines aux yeux enfoncés traînent dans notre petit hameau fleuri, elles font semblant de biner la terre, de ratisser le gravillon, de peindre les palissades. Ce sont nos prisonniers, des sauvages qui ont causé du tort à notre nation, énervé notre Führer, ils portent de vilains pyjamas rayés, ils sont moches, puants, perfides, obséquieux, ingrats, ils volent tout ce qui traîne, rien ne leur échappe, les mégots, les bouts de papiers, les vieux croûtons, un simple clou rouillé leur sort les yeux de la tête, un os et les voilà qui se précipitent comme des chiens, ils fouillent nos poubelles, nous observent avec envie... De temps en temps, ils s'arrêtent subitement de faire semblant de trimer, ils lèvent la tête et regardent au loin, au-delà du camp, derrière la butte... là-bas... une immense colonne de fumée grasse et nauséabonde qui s'élève dans le ciel... *Ah, ce cri!*... des corbeaux, des corneilles qui s'envolent en masse, saturant l'air de leurs croassements sinistres... *Allez-vous-en!... Vous aussi, les Youpins...* les prisonniers observent le ciel... Toujours, leur attention se laisse surprendre par ce vrombissement soudain qui parfois nous réveille en pleine nuit, à l'aube, dans le froid, grondement que précèdent des bruits métalliques indistincts, qui claquent dans le vent, des chaînes que l'on tire, de lourdes portes étanches que l'on ferme, des chuintements saccadés de machines de pompage qui provoquent des baisses de tension et font hoqueter la lumière des lampes... peut-être des cris... un brouhaha fanto-matique qui grossit, grossit, puis peu à peu s'éteint dans un silence lancinant... *mon Dieu, ce silence, comme il est étrange, comme il fait mal...* des gens qui... encore des têtes rases qui affleurent au pied de la butte... une autre colonne qui avance lourdement... elle vient de la nuit, traverse la grisaille du jour et disparaît dans la nuit... c'est loin... le vent souffle dans l'autre direction... Les lascars s'oublient dans la contemplation, alors nos kapos accourent leur secouer les puces à coups de gourdin et de cris gutturaux... « *Arbeit!... Arbeit!... Schnell!... Schnell!* » On rit à se rouler par terre : Ha ha ha!... Ha ha ha!... C'est étrange, tout dépiautés qu'ils sont, les lascars ne sentent rien, ne disent rien, ne bougent pas, certains rigolent de toutes leurs méchantes dents en regardant le ciel, ils auraient presque envie de chanter... ils sont fascinés. Puis, quand ils le décident, se ratatinent misérablement, reprennent leurs outils et font semblant de biner la terre, de lisser le tapis de gravier, de peindre les palissades, de vérifier que tout est propre. Des automates énervants, on dirait qu'ils ont fait cela toute leur vie, les mêmes gestes, qu'ils sont nés ainsi. Parfois, il en reste deux ou trois sur le carreau, leurs copains ne les voient pas ou, comme à leur habitude, font semblant de ne pas les voir. Les kapos lancent des ordres, on les emporte sur les brouettes, là-bas, à travers le camp, au-delà de la butte... Des officiers s'esclaffent ou s'énervent, la badine siffle, claque sur les bottes.... les kapos se tortillent de rire et font des courbettes... ce sont des détenus privilégiés, ils se sont un peu remplumés sur le dos de leurs frères de misère... ils parlent une langue que je ne comprends pas ou à peine : « *Gut, gut, Juden kaput,* fini, *Konetz, danke, dekuye,* merci beaucoup, *dobry den!* » Papa m'appelle pour le goûter... je... je... le vent a tourné, ça empeste, ça colle... On rentre, on ferme la fenêtre.

J'ai envie de hurler, envie de m'arracher la peau. Je ne sais pas, je ne sais que faire, je suis écrasé par le silence, ce silence si effrayant, je ne distingue rien, le rêve, le cauchemar et la réalité sont l'un dans l'autre. Pas d'échappatoire.

Je me suis réveillé en sueur. Il était... je ne sais pas, la nuit, le jour. J'ai appelé Ophélie. J'ai encore appelé : « Ophélie... Ophélie ! » J'ai entendu un bruit venant de la cuisine, un vrombissement léger... un chuintement de gaz qui se détend... c'est le frigo. « Ophélie... Ophélie ! » Elle n'était pas là. Elle n'est pas rentrée. Elle est partie. Le silence a quelque chose de surnaturel... je l'entends, il sent le cramé, il colle à la peau. Un truc est tombé du canapé. *Mon Dieu, ce bruit !* Un livre... *Mein Kampf.* Je suis allé dans le garage et je l'ai brûlé.

Journal de Rachel

Avril 1995

J'ai retrouvé Jean 92. Ce fut simple comme bonjour. Je me suis présenté à l'adresse qui figure dans les lettres que papa a reçues de lui. L'homme habite une maisonnette vermoulue au bout d'une ruelle tristounette dans un coin misérable d'un village miné par la déshérence, quelque part du côté de Strasbourg. En roulant entre ce chef-d'œuvre urbanistique qu'est Strasbourg et ce hameau banni des cartes dont je tairais le nom par humanité, j'avoue que je me voyais bien arriver au bout du monde et le regretter amèrement. En France, il est encore des endroits perdus, on se demande où ils sont allés se nicher. Ma 4L de location ne le connaissait pas, pourtant elle vient de Strasbourg et elle a dû pas mal chiner dans l'arrière-pays. À l'entrée du village, un paysan bourru a tendu le doigt vers le cul du village en réponse à ma demande : « Pourriez-vous m'indiquer s'il vous plaît où je pourrais dénicher Ernest Brucke ? » Inutile de le remercier, il a perdu la langue, il ne saurait pas me dire : « Y a pas de quoi, monsieur. »

Le temps d'inquiéter trois méchantes vieilles accrochées à leurs balais et faire aboyer une meute de toutous, je suis arrivé à bon port. C'était la dernière maison du village. Au-delà, il n'y a rien, seulement un mur de végétation sauvage.

Je m'attendais à tomber sur un vieillard et je me demandais avec angoisse s'il lui resterait assez de bon sens pour comprendre mes questions. J'avais devant moi un homme entre deux âges, accoutré à la diable, portant au ventre une belle enflure et au visage tout ce qu'un alcoolique engagé peut désirer de couperoses et de fistules. Sa braguette était béante comme sa bouche, ce qui prouvait qu'il se foutait de tout. Il était assis dans un jardinet encombré de vieilleries lépreuses, en fait un terrain vague dans un mouchoir de poche, devant une table métallique branlante sur laquelle trônait une bouteille d'eau-de-vie ; il y avait un verre ébréché mais sans existence propre, soudé qu'il était à la table, plein d'un liquide gluant dans lequel macéraient des feuilles, des aiguilles de pin et des mouches mortes ; et un cendrier improbable enfoui sous un monticule de cendres, de mégots, de bestioles carbonisées. L'homme regardait devant lui et ne se disait rien. Il ne me voyait pas arriver.

J'ai été saisi d'une grande pitié. L'homme était une épave plus très loin de la dislocation. J'en ai eu la vision et me suis aussitôt persuadé de sa réalité prochaine : l'homme mourra ainsi, enrobé de son lichen, collé à la chaise, la bouteille à portée de main, ne pensant à rien, ne se disant rien, ne voyant rien de ce qui l'entoure. J'imaginais mal papa qui était la rigueur même, une rigueur toute germanique, compagnonner avec un tel personnage. Mais bon, le temps a passé et sans doute a-t-il eu son heure de gloire. Un rapide calcul mental m'amena à la conclusion que papa et cet homme ne se connaissaient pas, ne pouvaient pas. Question d'âge et de circonstances, papa n'est jamais sorti d'Algérie depuis 1962 et l'homme, avant cette date, devait jouer à l'Indien avec les petites cochonnes du coin ou à cache-cache dans les fourrés avec ses moutons, avant d'en arriver à la boisson avec ses copains. Là, il avait la cinquantaine, manifestement une cinquantaine de trop, mais c'était loin des soixante-seize années de mon père à l'heure de sa mort. Je ne voulais pas même envisager l'hypothèse que cet homme ait pu se rendre en Algérie pour y rencontrer mon père. Là-bas, on ne badine pas, il y a une frontière, des gardes terrifiants et des lois hors du commun, les visites sont interdites et il n'y a pas de bons motifs qui tiennent. Il est des lieux comme ça, on ne peut ni entrer, ni sortir, ni savoir pourquoi. Cet homme entre deux âges avait peut-être trouvé dans l'alcoolisme le moyen de se rajeunir ou de se vieillir prématurément, ou celui de passer pour quelqu'un d'autre. Quelque chose m'échappait.

L'homme enfin me vit. Il avait le regard torve et la lèvre spongieuse, genre vieux vicelard en appétit, qui m'a mis mal à l'aise. Je me suis senti comme un enfant pris au piège. J'ai respiré un bon coup et je me suis fait l'attitude du gaillard qui sait terroriser les filles qui ont des nattes. Celui-là je n'allais pas le rater comme j'ai braqué mon petit retraité d'Uelzen avec des questions plus gênantes qu'intelligentes.

« Si vous êtes Ernest Brucke, alias Jean 92, je voudrais vous serrer la main au nom de mon père, Hans Schiller, et vous dire merci. »

L'homme s'est abîmé dans une fugitive réflexion puis, laminé par l'effort, m'a tendu un bras lourd par-dessus la bouteille et d'une voix graillonneuse m'a dit :

« Schiller?... C'est qui?... T'es son fils?

— Un peu, ouais ! Sur son lit de mort, mon père m'a demandé d'aller saluer ses amis, ceux qui l'ont aidé dans la difficulté, ceux...

— Arrête ton char, petit, j'suis pas Jean 92...

— Mais, qui êtes-vous alors, cher monsieur?

— Le fils, Adolphe... le vieux, il a cassé sa pipe y a belle lurette.

— Ah !

— Qu'est-ce que tu lui voulais, au paternel... à part le féliciter?

— Évoquer des souvenirs...

— Ah bon!... et pourquoi?

— Euh...je cherche des témoignages, des archives... j'écris un livre sur mon père et son combat pour le salut de l'humanité, l'hitlérisme n'est pas mort, que je sache.

— Ouais, t'as bien une tête à écrire des livres.

— Si vous le voulez, je prendrai votre témoignage, je ferai un chapitre sur vous et votre père. »

Bingo! J'ai tapé dans le mille. Le poivrot se voyait à la une des librairies. Il s'est redressé, s'est dégagé la voix et m'a contemplé en ami. Je n'y avais pas songé, on a tendance à l'oublier, cette maladie existe encore, la vanité, cette bonne vieille carotte avec laquelle on fait courir les dindons vers leur petite casserole. Je n'allais plus le lâcher, le merveilleux Jean 92 bis.

« Je ne te l'ai pas dit, mon cher Adolphe, j'ai déjà un éditeur et il paie bien... tu auras ta part.

— Combien?

— Ça dépend des ventes, ça peut aller loin. Voici déjà cent balles d'à-valoir. »

Cela réglé, nous nous sommes installés confortablement et nous avons causé comme des partenaires dans une affaire juteuse. Pour rien, en fin de compte. Et ce fut laborieux, le poivrot n'arrêtait pas de mettre son papa de côté et de se propulser en avant. Il voulait tout le chapitre pour lui. Il m'a raconté son enfance, sa jeunesse, la grand-mère Gertrude qui ne pratiquait que l'allemand, le service militaire dans cette putain d'armée française, les petites guerres en Afrique où il a cassé du nègre pour se dédommager de la honte d'avoir servi la France, la petite salope nommée Greta qui lui a bousillé la vie, le cousin Gaspard, ou Hector, qui l'a bellement arnaqué, la tante Ursula qui vit au Brésil avec un trafiquant d'émeraudes ou de diamants, un certain Félix, sa maison qui tombe en ruine, le bourg qui est menacé par la rénovation, la mairie qui le fait chier, etc. Et il m'a tout dit de son travail auprès de son nazi de père, du petit secrétariat d'abord, la petite surveillance des voisins, le va-et-vient entre la poste et la boîte aux lettres, les petites prestations d'enfant de chœur dans de mystérieuses cérémonies et plus tard, l'âge venant et la raison s'en allant, les réunions à n'en plus finir, les conciliabules entre pauvres types, les coups de gueule contre les traîtres et les révisionnistes, les coups de boule sur les petites frappes de la ville, les empoignades avec les gendarmes, les soûleries d'hiver entre vieux briscards affligés par la chienlit des temps modernes. Une vie de misère bien réussie, en somme. Et il m'a ouvert leurs archives. J'étais étonné qu'il sache se lever et marcher. Une pleine armoire sur laquelle je me suis jeté comme un possédé. Une heure plus tard, j'étais couvert de poussière et je sentais la charogne. Et j'avais honte d'être un humain. J'ai farfouillé dans un fatras comme on en trouve dans les greniers des vieux tortionnaires quand enfin ils rendent leur âme au diable. Ça pue le vieux, le marginal, l'humide, la folie furieuse, l'inutile, le dégueulasse. Mort ou vif, un tortionnaire est un tortionnaire. Ce pauvre Jean 92 aurait dû mourir avant de naître, en tout cas au moment où il se transforma en loup-garou du Troisième Reich. Des affiches crasseuses, des bouquins mal fichus, un livre d'heures dans sa housse de coton, des catalogues pour chasseurs, déplumés jusqu'à la tranche, des fanions décolorés, des lettres désespérantes, des photos encore plus désespérantes, des cahiers bourrés de fiel, des tracts à vomir. Il m'a proposé le paquet pour deux cents francs. C'était cher payer l'immondice mais j'étais venu pour apprendre l'origine du Mal. Il y avait également un pistolet de bonne taille et quelques balles vert-de-grisées. « Un Lüger, la meilleure arme du monde ! » a-t-il précisé en l'empoignant avec fierté. J'ai confirmé : « Tu l'as dit, cher ami, mon vieux ne jurait que par lui. » Avec mon Adolphe et son Lüger au bout du bras, et moi avec mes tracts et mes fanions, on avait vraiment l'air de vouloir nettoyer le monde. Des jeunes brûlés de la tête qui nous verraient ainsi se joindraient immédiatement à nous.

Enquêter sur les guerres passées est une galère, ça ne mène pas loin. Des impasses, des chemins qui se perdent dans le noir, des cloaques qui suppurent dans la brume, de la poussière qui s'élève en rideau de fumée à mesure qu'on tâtonne dans le vide. Je me rends compte de la difficulté de ceux qui sont chargés d'enquêter sur les crimes de guerre enfouis dans le silence, l'oubli, et la connivence. C'est mission impossible, la vérité est perdue dans l'herbe folle, prise dans un empilement de contes et de sous-contes mille fois ensevelis, mille fois remués, autant de fois trafiqués. Et il y a les silences, les pertes de mémoire, les mensonges, les leçons apprises, les plaidoiries des avocats du diable, les discours sur le discours, les papiers bouffés aux mites. Et par-dessus tout, balayant les velléités, court ce vent de honte qui fait que l'on ferme les yeux et que l'on baisse la tête. Les victimes meurent toujours deux fois. Et toujours, leurs bourreaux vivent plus longtemps qu'elles.

« Papa a oublié de m'expliquer ce que veut dire 92, c'est quoi ?

— C'est le code de l'organisation que chapeautait le vieux, l'Unité 92, ses membres avaient des pseudos, Jean 92, François 92, Gustave 92. Fallait se gaffer, les gaullistes nous talonnaient, les youpins, les...

— 92, ça renvoie à quoi ?

— C'est... Hitler est arrivé au pouvoir en 33, Pétain a signé la collaboration en 40 et à cette date mon père qui avait dix-neuf ans s'est engagé dans la Gestapo... le total fait 92. Il était malin, le vieux ! C'est ça l'unité, la fidélité au Troisième Reich.

— *Mein Ehre Heißt Treue.*

— Ouais, c'est ça, tu connais ! Quand j'ai repris l'affaire à la mort du vieux, en 69, je l'ai baptisée Unité 134... je suis né en 42, tu comprends ?... 92 plus 42 égal 134, l'Unité 134, tu piges ? Bon, mais il n'y avait plus de boulot, les copains étaient tous à l'abri, ils se la coulaient douce à Santiago du Chili, à Rio ou à Bangkok là-bas en Chine... tu vois ?

— Ouais, je connais, c'est à côté de la Thaïlande. C'est donc notre Unité 92 qui... avec mon père ?

— Bien sûr. Au moment de la défaite, quand il n'y avait plus rien à espérer, le père a créé l'Unité avec des amis et s'est occupé de sortir les copains d'Allemagne et les envoyer dans des pays amis. Plus tard, il s'est affilié au réseau Odessa, tu connais ?

— Heureusement ! Odessa, le réseau franciscain, les officines du Vatican, les petits copains de la Croix-Rouge, la filière éthiopienne, la filière turco-arabe, et le reste.

— Nous, les 92, on s'occupait spécialement des SS des stalags. C'est l'élite, tu comprends, des mecs à préserver pour l'avenir. Il faut le dire dans le book, le vieux a bien travaillé, il a sauvé des dizaines de héros de leurs griffes. T'as les noms dans le petit carnet noir. Ton père doit y être... comment il s'appelle, déjà ?

— Schiller. Les griffes de qui ?

— Les popovs, les Amerloques, ces poufiasses d'Engliches, les gaullistes de mes deux, et cette vermine de youpins. Tu te rends compte, il en restait encore ! Le vieux, il en a bavé avec leur Nakam, leur Congrès juif qui a profité du chamboulement pour s'emparer de la Palestine et de la France, leur Mossad, et ce salopard de Wiesenthal qui s'en mettait plein les poches... et je te dis rien sur les voisins qui ont tourné la veste comme un seul homme, y compris certains 92. On ne savait plus où donner de la tête, il fallait savoir ce qui se tramait, tout le temps, avertir les copains, construire des relais, protéger les filières, trouver de l'argent, trafiquer les papiers... Tu diras que j'ai prêté la main, j'ai bossé comme un malade... ça me manque tout ça, on se démenait pour l'honneur... Aujourd'hui... »

Je l'écoutais sans l'écouter. J'en savais cent fois plus que lui sur la question. Mais de le voir, de l'entendre, de le sentir, de patauger dans sa fange, j'étais en plein dans l'atmosphère de l'après-guerre, au cœur de cette fin de monde pas comme les autres, des champs de ruines à perte de vue, des multitudes hagardes, des morts-vivants hébétés, des Himalayas de cadavres que l'on attaque au bulldozer, des fous qui errent dans les champs dévastés, des scènes délirantes, les vents qui charrient la putréfaction, les jean-foutre qui déjà marchandaient, grenouillaient, attestaient, préparaient l'avenir, et par-dessus le capharnaüm, ce qui fait mal, ce qui rend dingue, un silence obsédant, et ce brouillard qui m'étouffe aujourd'hui.

« Et maintenant... où en sommes-nous, tonton Adolphe ?

— Pff !... C'est fini, petit, les Juifs ont gagné.

— Hitler reviendra... ou un autre de plus... d'aussi fortiche.

— Ouais, on peut rêver.

— Il sera peut-être français comme nous.

— Tu me fais rire, t'as vu un Français avec des couilles ?

— Pétain en avait deux, non ?

— Ouais mais il n'avait pas le génie d'Hitler. Ce type d'homme ne peut venir que d'Allemagne.

— Quand même, il y a eu Staline, Pol Pot, Ceaușescu, Mao, Kim Il-song, Amin Dada... euh... et l'autre moustachu, comment s'appelle-t-il déjà... celui qui a gazé les...

— De la racaille tout ça, des cocos, des moricauds, des faces de citron, ça compte pas.

— Un Américain, ce serait bien, ils ont réussi à exterminer les Peaux-Rouges, un peu moins les Noirs je te le concède, et puis ils ont lancé deux bombes atomiques sur les Jaunes.

— Tu débloques, c'est des Juifs, les Amerloques, il faut les exterminer.

— Peut-être les Arabes... Qu'en penses-tu ? ils ont le génie de la rhétorique...

— La quoi ?

— Le baratin à cinq pattes, la suite dans les idées, quoi.

— Du youpin comme les autres, tu peux en faire du charbon, c'est tout, et pas le meilleur.

— Tiens, si on veut bien voir, le problème de l'énergie avec lequel on nous les casse, est réglé pour toujours. Là, on a un truc bon marché, renouvelable à gogo.

— Ha ha ha ! T'es bien le fils de ton père, toi ! Ha ha ha ! Ha ha ha ! »

En d'autres circonstances, je me serais follement amusé à me balader dans sa tête. J'aurais découvert des grottes et des précipices que ce pauvre diable lui-même ignore, le crétinisme ne se limite pas à ce qu'on voit, il y a la partie immergée. J'avais envie de le... le... rien. On ne tue pas les fous, on n'achève pas les incurables, on prie pour eux. Il m'a quand même fait mal. Du haut de sa maladie, il m'a assassiné d'une phrase : « T'es bien le fils de ton père. » Je l'ai reçue telle une décharge électrique au cœur. Je le regardais comme le fils de son père, le Jean 92, le saint-bernard des fuyards, le sauveur des assassins, il m'a rappelé en s'esclaffant que j'étais moi aussi le fils de mon père, Hans Schiller le SS, l'ange de la mort.

Dans le train qui me ramenait sur Paris, j'y pensais sans cesse. *Je suis le fils de mon père... je suis le fils de mon père...* Je me le répétais au rythme monotone du roulement jusqu'à m'étourdir, jusqu'à m'anéantir, jusqu'à m'endormir. Je crois l'avoir dit tout haut, peut-être même crié. J'étais entre deux cauchemars, deux spasmes, deux envies, mourir sur cette banquette ou plus tard, une fois la lie avalée, je me débattais dans le noir. En tout cas, j'ai bien entendu une voix, quelque part dans le compartiment, murmurer tout haut à un voisin : « Le dire, c'est en douter », et l'autre de rebondir : « Le père le sait-il, là est la question ! » Et du coup tout ce bon peuple en voyage d'agrément s'est mis à glousser, à pouffer, qui derrière la main, qui derrière le journal, qui en avalant sa langue. J'en ai ri moi-même, c'était du bel humour, dit entre gens de bonne compagnie, mais au bon moment, alors que le rire s'épuisait dans sa nullité, je me suis levé et, tel un prophète pourfendeur, j'ai chuchoté à la cantonade : « Que celui qui sait où est son père lève le doigt ! » Un petit froid est entré dans la voiture. Ça m'a revigoré.

Je ne sais pourquoi, j'ai pensé à cette blague juive : Le pauvre Moshé se lamente dans son lit comme un diable dans un bénitier, il est minuit passé et dans la matinée, à midi tapant, il doit rembourser une dette à son ami et voisin du dessus, Jacob. Les affaires du mois ont été mauvaises, Moshé n'a pas le sou, il se voit déshonoré, rejeté par la communauté des marchands, épinglé par le rabbin. Il se torture tant et si bruyamment que sa femme se réveille et le soumet à la question. Ce n'est pas son habitude de révéler ses secrets, qui plus est à une femme, mais épuisé par ses lamentations, il cède et lui explique. « C'est tout ? » dit-elle. Alors, elle se lève, ouvre la fenêtre en grand et crie de toutes ses forces : « Jacob, Jacooob, Moshé ne peut pas te rembourser, il n'a pas le sou ! » Puis elle se remet sous la couverture et dit à son mari ahuri : « Dors maintenant, c'est lui qui va se faire du souci ! »

La suite du voyage fut des plus calmes. J'ai ouvert le journal et j'ai lu les nouvelles du monde : partout la guerre avançait à pas de géant.

Journal de Malrich

31 octobre 1996

Rachel, je ne le comprends pas toujours. Il m'énerve. Il parle de notre père comme d'un assassin, il insiste, il le charge, c'est dingue. Papa était SS, d'accord, il a fait les camps d'extermination, d'accord, mais rien ne dit qu'il a tué. Il gardait les prisonniers, c'est tout. Même pas, ce n'était pas son affaire, il y avait les kapos pour cela, des criminels allemands et aussi des prisonniers passés à l'ennemi, Rachel le dit lui-même, ce sont des chiens, c'est eux qui gardaient les déportés, qui les battaient, les volaient, les violaient, les épuisaient au travail, les massacraient à coups de gourdin, les traînaient par les pieds et les jetaient dans le four. Papa était ingénieur chimiste, pas bourreau. Il travaillait au laboratoire, loin du camp, il préparait des mixtures, point. Il ne savait pas ce que les autres en feraient, il n'avait pas à le savoir, les chambres à gaz étaient l'affaire des *Sonderkommandos*, les commandos du gaz, les *Einsatzgruppen*, pas du laboratoire. La responsabilité de papa s'arrêtait au quai de livraison, elle n'allait pas plus loin. Les camions arrivaient, enlevaient les fûts, on signait des papiers et les chauffeurs partaient faire leurs tournées, Dieu sait où, encadrés par les motards. Comment Rachel qui s'émerveillait tant de l'organisation allemande a-t-il pu imaginer que les grands chefs, les *Bonzen*, mettraient un scientifique comme papa dans le rôle d'un vulgaire bourreau qui alimente les fours en charbon, les chambres en gaz, qui verrouille les portes, actionne les manettes, surveille les cadrans? Nous le savons bien, Rachel et moi, qui sommes des *Half-Deutsche*, les Allemands sont service service, ils ne mélangent jamais torchons et serviettes. Papa était comme ça, on ne rigolait pas avec lui, sauf quand c'était l'heure de rigoler. Rachel a perdu pied, il a oublié notre éducation de base. Il fantasmait parce qu'il avait mal, il exagérait, il se torturait comme je le fais moi-même quand je pense à nous, à nos parents égorgés dans leur sommeil par les islamistes d'Alger, à notre cité perdue dans la nature, à ses habitants caporalisés par l'imam, cernés par les barbus en djellabas et blousons noirs, humiliés par les kapos qui tournent autour d'eux comme des pitbulls, à tonton Ali qui se meurt comme un vieux déporté, à tata Sakina qui attend sans jamais s'étonner de rien, à cette pauvre Nadia carbonisée par l'émir. Je pense à mon père. Papa... mais qu'est-ce que tu as été foutre dans cette galère? Est-ce que tu savais? Les limites ne sont pas claires, dans le camp on vit ensemble, on prend ses repas au mess des officiers, on parle boulot, on raconte les difficultés du jour, on dit ses exploits. Il y a les réunions officielles, on écoute les discours du Führer, les communiqués du commandement, de Himmler lui-même, on parle planning, résultats, incidents techniques, on épingle les traînards, on félicite les champions, on prend les ordres de la semaine. Il y a les haut-parleurs, ces maudits cornets accrochés au-dessus des têtes qui traquent les internés jusque dans la folie, et cette voix mécanique qui couvre jusqu'à la force du vent, qui sans cesse appelle au rassemblement, à la soumission, à l'abandon, qui article après article, verset après verset, détaille la terreur et fait du crime un acte de simple police. Et le soir venu, après le dîner et le toast réglementaire au Führer, on se met autour du poêle, on se détend, on écoute de la musique, on joue aux cartes, on picole en rêvassant, on pense à sa famille, aux parties de chasse et de pêche avec les copains, aux belles batailles qui se déroulent là-bas, aux confins du monde. On se raconte le *Lager*, ses histoires, ses blagues, ses trafics, ses rumeurs, ses maladies horribles, ses ruses pitoyables, on parle des nouveaux, arrivés par le train du matin, accueillis en fanfare avec la solennité militaire, qui sont encore pleins d'espoirs, encore tout près de leur dignité et de leurs petites valises, méfiants mais sans plus, ils croient encore en Dieu, en la raison, en l'impossibilité de l'invraisemblable. Ils réfléchissent encore, c'est tout bon, le temps de se ranger à l'entrée du camp ils sont arrivés à cette idée vieille comme le monde que la docilité les préservera, les fera bien voir des maîtres ; ils ont l'air si forts, si puissants, ces *Bonzen*, qu'on n'imagine pas les voir manquer de grandeur et de noblesse. Et puis voilà, la parfaite tenue du camp et la vue des multitudes disciplinées qui l'occupent ont fini de les rassurer, la mort n'est pas la certitude que les pessimistes promettaient au cours du long et terrible voyage dans les wagons à bestiaux, une hypothèse seulement que l'on peut gérer, avec de la chance, de la ruse et l'abandon de sa fierté. Le plus dur est passé, ils ont été séparés sans difficulté, en lots homogènes, les hommes, les femmes et les bébés, les enfants, les vieux, les handicapés, les belles jeunes filles comme Nadia, ils ne se révolteront pas lorsque, tantôt ou demain à l'aube, après la désinfection, on conduira les *Vernichtung Lebensunwerten Lebens*, les inutiles, à la chambre à gaz, et les valides vers leur destin, les *Arbeitkommandos* et leurs pendants les *Starfarbeitkommandos*, les bordels pour kapos, les je-ne-sais-quoi. Comme dans la cité, on sait ce qui se passe, ce que fait chacun, ce qu'il pense, ce qu'il dissimule. On se parle, on se surveille, on se donne des conseils, on se réunit pour les fêtes, les enterrements, les démarches auprès de la mairie, les campagnes de nettoyage des cages, le tour de garde dans les parkings. On sait qui est islamiste et ce qu'il mijote, et qui ne l'est pas et de quoi il a peur. On sait tout. Mais en même temps on ne sait rien, on se côtoie seulement, on croit savoir, on est dans sa tête, pas dans la tête des autres, on suit son idée, celles des autres ne nous arrivent pas ou nous parviennent déformées par le ouï-dire. On pratique au moins quinze langues et autant de dialectes dans la cité, comme dans les camps, on ne les connaît pas tous. On fait semblant, on baragouine. Et puis qu'est-ce que nous avons à dire, à part le temps qu'il fait et les mêmes vieilles lamentations, celles d'hier qui se répètent en force, qui reviendront multipliées par trente à la fin du mois? Les habitants de la cité connaissent Paris, leur capitale, et les Parisiens connaissent la cité, leur banlieue, mais que savent-ils exactement? Rien. Nous sommes des ombres, des rumeurs, les uns pour les autres. Entre eux, entre nous, il y a un mur, des barbelés, des miradors, des champs de mines, des préjugés fondamentaux, des réalités inconcevables. Papa savait sans savoir, voilà la vérité. Rachel est mon frère, pourtant je ne savais rien de lui, et là, son journal intime est comme un écran qui

118

m'empêche de le voir. Mon pauvre Rachel, qui es-tu, qui est notre père ? Qui suis-je ? Je me prends la tête à en hurler de rage, à en pleurer. Je suis pris au piège, tout me dégoûte, je me dégoûte moi-même. Je deviens fou à mon tour. Je ne sors plus du pavillon, je lis et je relis le journal de Rachel, ses livres, je me laisse abrutir par la télé, je tourne en rond, je me tiens le ventre. Et la nuit, je vais traîner dans les rues, loin, très loin. Seul. Seul comme personne au monde. *Comme Rachel. Mon pauvre Rachel.*

J'ai voulu savoir à mon tour. Rachel a commis une erreur, il s'est focalisé sur sa douleur, elle l'a détruit. Comme le lui avait prédit son patron, M. Candela. Il faut voir les choses avec l'idée de comprendre, comme le Com'Dad me le conseillait : « On doit d'abord comprendre. » Il pensait que Rachel était sur cette voie, or il se trompait, Rachel cherchait à comprendre pour dénouer sa douleur. Ou l'alimenter. Le Mal l'avait fasciné, retourné contre lui-même. Il s'est tellement impliqué qu'il se considérait coupable à la place de papa. Il se voyait lui-même dans le camp, enfant de SS parmi d'autres, distribuant les coups et la mort à de pauvres gosses qui ne lui avaient rien fait. Le piège le plus dangereux serait donc celui que l'on se dresse soi-même. Il en est arrivé à envisager de se présenter devant le juge en costume noir et avouer tous les crimes du Troisième Reich. Je crois que ce Primo Levi l'a achevé avec son poème qui commence par culpabiliser les lecteurs : *« Vous qui vivez en toute quiétude bien au chaud dans vos maisons, vous qui trouvez le soir en rentrant la table mise et des visages amis, considérez si c'est un homme... »* C'était le cas de Rachel, il vivait comme un roi, sérieux mais insouciant, quand subitement il apprend la tuerie de Aïn Deb, la mort de nos parents et de suite après que papa était un SS qui avait bourlingué à travers tous les camps d'extermination du Troisième Reich. Alors moi, je suis allé à l'essentiel, je me suis posé la question : En quoi, le passé de papa nous concerne-t-il? C'était sa vie, nous avons la nôtre. En quoi sommes-nous responsables de cette guerre, cette tragédie, l'Holocauste comme ils disent, la Shoah? Ophélie n'avait pas tort : *Ce n'est pas nous qui les avons tués, ces Juifs.* C'est l'histoire, elle passe comme un rouleau compresseur, n'épargne personne, c'est horrible, c'est regrettable, mais qu'y pouvons-nous? Tu ne ressusciteras pas tes parents en te lamentant sur ton sort, disait M. Candela. Je ne puis refaire l'histoire, je ne ressusciterai personne, ni mes parents, ni Rachel, ni cette pauvre Nadia, ni ces millions de gazés dont je ne sais rien, en pleurant sur moi-même. Je dois réagir. Agir. Mais comment? Lis, milite si tu veux, apporte ta petite pierre, mais pas davantage, tout ce que tu feras de plus viendra du diable, disait M. Candela qui en avait beaucoup vu, au point de croire plus au diable qu'en Dieu. Je pense aussi à ce que disait M. Vincent quand il nous voyait nous gratter la tête devant un moteur esquinté : Cesse de réfléchir, tu verras mieux. Et de fait, il suffisait de pousser la tire pour qu'elle roule. De tout on fabrique des difficultés et on s'étonne d'avoir mal à la tête.

Je me pose sans arrêt la question : où se place mon père, celui que je connais, le seul que je connaisse, papa, le mari de maman, le cheikh de Aïn Deb, l'homme que tous aimaient et respectaient, le vieil et fidèle ami de tonton Ali? Cet homme, ce père qui nous a si longtemps manqué, il a bien existé et nous sommes ses enfants, sains de corps et d'esprit, de surcroît super-intelligent comme

Rachel, pas très futé comme moi mais assez pour distinguer le bien du mal. Faut-il le mettre dans le même sac que le capitaine SS? Comment condamner l'un et honorer l'autre, haïr le bourreau d'hier, un inconnu pour moi, et aimer le père, papa, la victime d'aujourd'hui, victime de ceux-là dont nous sommes la cible à présent? Mon père a-t-il payé pour ses crimes? Et nous, payons-nous parce que nous sommes ses enfants? Ce serait donc le destin, la Providence, la Malédiction? « *Pensez-y chez vous, dans la rue, en vous couchant, en vous levant; répétez-les à vos enfants. Ou que votre maison s'écroule, que la maladie vous accable, que vos enfants se détournent de vous.* » C'est cela que dit ce Primo Levi, les enfants sont condamnés par avance, car les parents ne leur révèlent jamais les crimes qu'ils ont commis, et comment ne le voit-il pas : si les parents disent tout à leurs enfants, ils les tuent dans l'œuf. Il est fou, ce Primo Levi. Je refuse de croire que Dieu est plus vicieux que les hommes et que les enfants sont condamnés à la fatalité.

De temps en temps, les copains passent me voir. Je dirais qu'ils débarquent pour le plaisir de me déranger. En réalité, ils se tracassent pour moi, ils pensent que je deviens maboul. Ils ne se gênent pas pour le dire mais comme je le prends mal, ils font semblant de déconner, de parler tous ensemble en se tirant par la manche, par le col, par le zizi, en se traitant de cinglés les uns les autres. Plus on est de fous, plus on rit, qu'ils disent, la bouche grande ouverte. On a les copains qu'on a. Je fais semblant de les suivre dans leur bordel pour en finir vite. Puis quand tout est sens dessus dessous, on s'affale dans les fauteuils et on discute. Des heures entières. Toujours pareil. Ils commencent par moi. Ils veulent savoir pourquoi je ne sors plus, pourquoi je fais cette tête de croquemort, pourquoi je lis des livres et qu'est-ce que je peux bien écrire dans mon cahier. Ensuite, ils me posent des questions débiles, de quoi je me nourris, qui lave mon linge, qui fait le ménage, qui sort les ordures, qui paie l'électricité. Je ne réponds pas, ce sont des choses trop compliquées pour eux, ils ont des mamans et des sœurs qui s'occupent d'eux à leur insu. Je vois mal Bidochon qui toute sa vie a bossé trois jours comme garçon de café, surtout Momo qui vit gratuitement sur la viande halal de son père, comprendre ce qu'est le prélèvement automatique sur compte bancaire, laver son slip soi-même, faire une omelette dans la poêle, couper du pain, passer le chiffon, tirer la chasse. Ils n'ont jamais su que se laisser vivre. Rentier à ce point, on meurt normalement. Le seul qui réfléchit, c'est Idir-Quoi, mais il ne sait pas dire son idée, le bégaiement la bloque dès qu'il ouvre le bec, et après il se prend les pieds dans le tapis. Quant à Togo-au-Lait, n'en parlons pas, parce qu'il est noir corbeau et coiffé à la black il se croit malin comme un singe. Rien que de le voir rouler de gros yeux devant un point d'interrogation, on comprend qu'il ne les connaît pas, les singes, il y en a de terriblement bêtes. Raymou a dans la tête deux cerveaux qui s'ignorent, celui de son père, plein de bon sens ouvrier, et le sien qui est un broyeur de bon sens. Avec lui, tout dépend avec qui on parle, le père ou le fils. Ou le Saint-Esprit. Finalement, il n'y a que Cinq-Pouces qui émerge du lot ; quand on a cinq pouces à chaque main, on est qualifié par définition. C'est le seul qui a bossé, il a turbiné dans le bâtiment avec son père et tâté à tous les corps d'État, d'où son surnom. Ce n'est

122

pas des paluches qu'il a au bout des bras mais des trousses à outils suisses. Vraiment, on a les copains qu'on a. Mais je les aime comme ils sont, fous, bêtes, ingrats, inutiles, turbulents, ennuyeux, déglingués, en fin de droits dans tous les domaines. De vrais déportés. Oui, je les aime.

Aujourd'hui, ils sont venus avec des nouvelles. Une bonne et des mauvaises. La bonne est que l'imam de la 17 a été arrêté pour complicité dans l'assassinat de Nadia. Ça mérite une canette, ai-je dit. Sauf que, ont-ils ajouté, la cité est sens dessus dessous, on a le tournis, on étouffe. D'où leur visite, ils ne pouvaient pas respirer là-bas. D'un côté, les habitants font le mort, ils attendent de voir avant de bouger, de l'autre côté ça court dans tous les sens, les kamikazes de l'imam et ses réseaux dormants, les indics de Com'Dad, les policiers, les CRS, les gars des assos, les reporters, les intellos, les curieux, les conseillers de la mairie, les ambassadeurs de toutes les ZUS de France et de Navarre, et même des émissaires des cités ouvrières belges. On ne parle que de nous à la télé. Quand la cité s'enrhume, la France crache du sang. Pas moyen de faire un pas sans tomber dans une embuscade. Les copains ont été interpellés et fouillés au corps trente fois, interviewés quinze fois, filmés sept fois, appelés en renfort trois fois et une seule fois ils sont passés entre les mailles du filet. Pour se dépêtrer des journalistes, ils mettaient en avant Idir-Quoi et ils reculaient de dix pas pour se marrer à l'aise.

— Arrêté quand, comment ? me suis-je écrié.

Quelqu'un, Momo, je crois, a répondu :

— Hier, par un commando du GIGN venu de Paris.

— Son compte est bon, il va prendre pour dix piges, c'est Babar du commissariat qui l'a dit à Rabah du Prisunic.

— Zéro! Mon père dit que la politique va s'en mêler, ils vont le décorer, y a pas des kilomètres, dit Raymou.

— Togo-au-Lait a appris par un de ses trois mille deux cents cousins, qui est balayeur dans un ministère, qu'il sera bientôt libéré. D'après lui, foutre un imam au trou c'est comme introduire un détraqué du bidule dans un pensionnat de filles et se tirer une balle dans le pied. En cellule, il te fabrique du kamikaze à la chaîne et par téléphone il te réveille tous les réseaux dormants de France et te les jette dans les rues comme des clous de crevaison. Pas vrai que tu l'as dit, Togo-au-Lait? insista Manchot.

— Je vous jure, le cousin a entendu le ministre le dire au téléphone. Il parlait à quelqu'un qu'il appelait monsieur le garde des sots et cher ami, il le suppliait de faire un geste d'apaisement.

— Ça veut dire quoi? demanda Momo.

— Ça veut dire ce que ça veut dire, expliqua Manchot.

— Z'ont qu'à le zigouiller, conclut Momo.

— Je suis d'accord, Momo, tu tiens vraiment de ton boucher de père, c'est un plaisir de tailler la bavette avec toi.

— Iiii vvvvont étou étoufffffer lala laf laff lafff lafffai...

— L'affaire?

— Ouuui.

— On leur fera le bordel, ils l'ont arrêté, qu'ils le gardent!

— Ou qu'ils le renvoient dans son pays avec un œil en moins.

— Ou un bras, comme Manchot.

— Si les mauvaises nouvelles sont comme la bonne, la guerre civile est pour demain. Quelles sont-elles, au fait ? ai-je demandé pour en finir.

— La première est que nous avons un nouvel émir, il s'appelle Flicha.

— Le recrutement va vite.

— Et nous avons un nouvel imam. Il s'appelle le Borgne. Il paraît que ça porte malheur, les borgnes.

— Tu confonds avec les bossus.

— Zéro, ceux-là portent bonheur.

— De mieux en mieux, des handicapés jeteurs de sorts. Personne d'autre ?

— Ce sont des durs, des GIA, des cracks de la clandestinité, ils arrivent de Boufarik, c'est le fief des talibans à ce qu'il paraît. Le jour même, ils ont tiré une fatwa. Un : qui n'est pas avec nous est contre nous, donc passible de mort. Deux : plus de filles dans les rues. Trois : il est interdit d'approcher les Juifs, les chrétiens, les animistes, les communistes, les pédés, les journalistes. Quatre : sont interdits la sniff, le joint, la cigarette, la bière, le flipper, le sport, la musique, les livres, la télé, le ciné... Me souviens pas du reste.

— Se branler en public.

— En privé aussi.

— Péter dans la direction de la mosquée.

— Se raser le...

— Ça vous amuse, bande de cons !

— Ouais bon, c'est pour rire !

— Et les gens, qu'est-ce qu'ils disent ?

— Comme d'hab, ils font le mort.

— Et vous ?

125

Silence. Murmures.

— Et vous? insistai-je.

— Qu'est-ce que tu veux qu'on fasse? s'énerva Raymou.

— Rien, comme d'hab.

— Toi qui sors pas de ton trou, tu vois ça comment?

C'était mon tour de leur apprendre des choses. Je leur ai dit le fond de ma pensée. Je ne le croyais pas, ils m'ont écouté de bout en bout, sauf Momo qui à un moment s'est brusquement pris le ventre pour dire :

— Attends, je vais pisser un coup, ne dis rien, je reviens tout de suite.

Il est revenu en courant avec son pistolet à eau qui lui dégoulinait dans la main et m'a dit :

— Voilà, continue.

J'avais commencé par une question :

— Vous connaissez Hitler?

Silence. Regards. Murmures.

— Bon, personne ne sait, ça simplifie les choses. Je continue.

« En son temps, nous n'existions pas. Nos parents n'étaient pas nés ou venaient à peine de naître, sauf le mien qui était déjà un athlète d'une quinzaine d'années. Hitler était le führer de l'Allemagne, une sorte de grand imam en casquette et blouson noir. En arrivant au pouvoir, il a apporté avec lui une nouvelle religion, le nazisme. Tous les Allemands portaient au cou la croix gammée, le truc qui voulait dire : Je suis nazi, je crois en Hitler, je vis par lui et pour lui. Ça voulait dire aussi que ceux qui n'avaient pas la croix gammée au cou devaient être éliminés. Il a interdit aux Allemands plein de choses, comme l'imam de la cité vient de le décréter, puis quand

126

il les a bien dressés, quand ils sont devenus de vrais nazis, fous de leur religion et de leur führer, il a décrété que les Juifs, les étrangers, les émigrés, les malades, les bras cassés comme toi Manchot, les malins comme Togo-au-Lait, les phénomènes comme Cinq-Pouces, les bavards comme Idir-Quoi, les sang-mêlé comme moi, les fils de bouchers halal comme Momo, les mous de la tête comme Raymond devaient disparaître. C'étaient des impurs, la race inférieure, ils ne méritaient pas de vivre et leurs parents qui les avaient faits ainsi devaient périr par le feu. Hitler ordonna à tous les Juifs d'Europe, y compris chez nous en France, de porter une étoile jaune sur la poitrine pour que les gendarmes puissent les rafler facilement. Tous ces gens, des millions de personnes, il les a passés dans les incinérateurs à ordures. Pas des petits comme celui que nous avons à côté de l'ancienne gare mais des géants, plus grands que notre cité et nette-ment mieux organisés. Vous voyez le topo, des millions d'hommes, de femmes, de gosses que l'on cueille dans les rues comme des lapins, que l'on parque dans les stades, que l'on marque au fer rouge, que l'on transporte comme du bétail en camions, en trains, pour les expédier dans les camps d'extermination où des jours et des mois ils atten-dront debout, les pieds dans la neige, qu'on vienne les brûler. Chaque jour, on prélève un paquet au hasard, on les met à poil, on les ligote avec du fil de fer puis on les allonge sur les tapis roulants qui les emportent tant bien que mal vers la gueule du haut-fourneau. Ils sont telle-ment effrayés qu'ils ne peuvent pas crier ou s'ils le font ce n'est pas grave, il n'y a personne pour les entendre, sauf eux-mêmes. Ceux qui les manipulent comme des fagots de bois sont des bandits allemands mais aussi des prisonniers bizarres, des costauds, des jeunes comme nous. On les appelle les kapos. En attendant de passer à leur tour à la trappe, ils servent de gardiens, ils approvisionnent le four en charbon, ouvrent les vannes, poussent les brouettes, manœuvrent le tapis roulant, tiennent le compte des morts et des arrivants, récupèrent leurs petites affaires, leur arrachent les cheveux, les dents, et vous savez ce qu'ils font avec leurs cendres ? Du savon et du cirage pour les soldats ! Et ainsi de suite, jour et nuit, toute l'année.

Murmures. Changement de position. Petites toux. Ils n'ont jamais été aussi sages.

— Tout ce que je vous dis est vrai, c'est là, dans les bouquins, je vous montrerai les photos si vous me promettez de ne les regarder qu'une fraction de seconde. Sinon, c'est foutu, vous serez malades pour le restant de votre vie. Vous ne pourrez plus croire que vous êtes des hommes, que vos parents sont des humains, que vos amis sont de vrais amis, des mecs sympas comme nous. Rachel a tout vérifié, il a cherché, il est parti en Allemagne, en Pologne, il a visité les incinérateurs, il a vu de ses yeux.

Une question de Idir-Quoi que je transcris en clair :

— Pourquoi il a fait ça, le Rachel ?

— J'y viens, ai-je répondu.

« Un jour, le monde entier s'est mobilisé contre cette folie, ils ont tué l'imam en chef, le Führer, et tous ses émirs, et ils ont occupé l'Allemagne. C'est là qu'ils ont découvert les camps d'extermination. Il y en avait des dizaines, les morts se comptaient par millions et les survivants ressemblaient tellement à des cadavres qu'ils ne savaient comment leur parler. Quand mes parents et leurs voisins du village ont été égorgés par les islamistes,

Rachel a commencé à réfléchir. Il a compris que l'islamisme et le nazisme c'était du pareil au même. Il a voulu voir ce qui nous attendait si on laissait faire comme on a laissé faire en Allemagne, à Kaboul et en Algérie où les charniers islamistes ne se comptent plus, comme on laisse faire chez nous, en France où les Gestapos islamistes ne se comptent plus. Au bout du compte, ça lui a fait tellement peur qu'il s'est suicidé. Il pensait qu'il était trop tard, il se sentait responsable, il disait que notre silence était de la complicité, il disait que nous sommes dans le piège et qu'à force de nous taire en faisant semblant de discutailler intelligemment, nous finirons par devenir des kapos, sans nous en rendre compte, sans voir que les autres, autour de nous, le sont déjà.

— Hé, tu déconnes, on n'est pas des kapos! s'écria Raymou.

— Je vais peut-être vous rappeler que nous étions des leurs il n'y a pas loin et que nous ne le savions pas.

Je n'ai pas eu besoin d'insister, ils se souvenaient très bien, ils avaient assez trempé dans le bain.

— Qu'est-ce que tu proposes, qu'on se suicide comme Rachel? demanda-t-il.

— On va faire le contraire, on va vivre, on va se battre.

— Comment?

— Je ne sais pas, il faut voir.

— Putain, tout ce discours pour dire qu'il ne sait pas!

— Créons une ligue anti-islamique, proposa Bidochon.

— Islamique ou islamiste? questionna Raymou.

— C'est un détail, on s'en fout.

— Tu déconnes, c'est pas pareil, l'islam est la religion de mes parents, c'est la meilleure du monde! s'écria Momo.

— Ma mère fait la prière, elle tuerait pas une mouche, ajouta Idir-Quoi.

— C'est les musulmans qui deviennent islamistes, non? demanda Manchot.

— Il y a aussi les chrétiens comme Raymou, corrigea Idir-Quoi.

— Bon, Momo, regarde dans le dico, dis-nous la différence.

— À mon avis, y en a pas, insista Bidochon.

— Regarde quand même, Momo... non pas là, ça c'est le J, regarde à la lettre I... non, c'est avant, pas après. Regarde, toi, Idir.

Le Idir-Quoi se débrouille mieux avec les lettres qu'avec la parlote. En deux secondes, il avait trouvé, mais il a mis dix minutes pour nous lire les infos. Je compacte son laïus :

— Islamique, ça veut dire qui appartient à l'islam... et islamiste... euh... c'est où? euh... ça n'existe pas... qu'est-ce que ça veut dire?

— C'est un vieux dico, d'avant les islamistes.

— Attends voir... il est de 90, les barbus, on les avait.

— C'est sérieux le dico, il ne prend pas n'importe quoi.

— Bon, on dira islamiste.

— Et elle fera quoi, ta ligue?

— Barrage aux islamistes!

— Et comment?

— On les chasse de la cité!

— Comment?

— ...

Une heure après, nous en étions au même point. Nous sommes partis dans toutes les directions et partout

130

nous avons rencontré des murs. On avait le problème, pas la solution. Arrêter l'islamisme c'est comme vouloir attraper le vent. Il faut autre chose qu'un panier percé ou une bande de rigolos comme nous. Savoir ne suffit pas. Comprendre ne suffit pas. La volonté ne suffit pas. Il nous manque une chose que les islamistes ont en excès et que nous n'avons pas, pas un gramme : la détermination. Nous sommes comme les déportés d'antan, pris dans la machination, englués dans la peur, fascinés par le Mal, nous attendons avec le secret espoir que la docilité nous sauvera.

Je ne leur ai rien dit sur papa, sur son passé. Ce sont mes copains, je ne voulais pas qu'ils aient peur de moi et qu'ils m'abandonnent. Et puis, ils sont comme ils sont, crédules et emportés, ils pourraient injustement soupçonner leurs pères de leur cacher quelque sombre extermination de jeunesse. Togo-au-Lait risque de se souvenir que son arrière-grand-père était cannibale et que son père n'en a été guéri que parce qu'on l'a mis au steak frites à la naissance, ça le tuerait. Mon père ne m'a rien dit, disait Rachel. Parfois, c'est vrai, les pères n'ont rien à dire.

Momo, qui est toujours plus curieux qu'il ne devrait, m'a drôlement regardé : Dis, ton père était allemand... il était nazi ? Je lui ai répondu : Bien sûr que non, il avait émigré en Algérie, il était avec les combattants de la liberté pour libérer ton bled... et il est mort en martyr.

Il était minuit quand ils sont partis. Leur dégaine disait que notre discussion les avait ébranlés, ils étaient silencieux, ils traînaient la patte, ils avaient le regard fuyant. Ils ont serré la veste sur leur poitrine et ils se sont engouffrés dans les ténèbres glacées. Ils m'ont fait de la peine, ils me donnaient l'impression de détenus qui retournent au *Lager* après une petite évasion sans lendemain. Cette nuit, ils feront connaissance avec le cauchemar qui me hante depuis la mort de Rachel. En quelques mois, il m'a vieilli de cent ans. Je ne leur souhaite pas celui que les déportés faisaient chaque instant de leur pauvre et interminable vie. Ce cauchemar, je ne le souhaite à personne, sauf à l'imam du bloc 17 et son émir.

Journal de Malrich

Samedi 2 novembre 1996

Ce matin, à la première heure, j'ai reçu la visite de Mme Karsmirsky, Wenda Karsmirsky, la maman d'Ophélie. Dans une autre vie, elle fut une Russe blanche et dans cette vie elle est une Française bon teint qui a oublié ses origines. Je ne le savais pas, elle a une façon de sonner qui réveille les morts. C'est un appel brutal, incessant, chargé de remontrances. Il n'y a que la police qui carillonne de cette manière. Alors que je dormais comme un vrai mort, je ne sais comment, je me suis retrouvé planté devant la porte à me demander qui j'étais. Un réflexe de dormeur paniqué. J'avais encore les yeux fermés quand j'ai réussi à l'ouvrir. Une voix aigre m'a sauté au visage pour me dire : Jeune homme, vous pourriez me regarder quand je vous parle ! C'était bien Mme Karsmirsky, la Castafiore comme l'appelait Rachel. Je lui ai dit en me frottant les yeux : Bonjour, madame ! Elle a haussé les épaules et elle est passée avec son courant d'air hautement parfumé. Je ne sais comment, je me suis retrouvé dans le salon à fixer le plafond, pendant que là-haut elle fouinait plus vite qu'une tornade pressée. Je la suivais à l'oreille, j'entendais ses talons tambouriner partout où son tour de taille pouvait entrer. Puis, elle est venue se planter devant moi pour me crier dans les oreilles : Mais c'est une écurie, ma parole ! Je passe sur les détails. Elle m'a accordé la matinée pour tout remettre en état et vider les lieux. J'ai cru comprendre de son laïus qu'Ophélie avait décidé de s'installer définitivement au Canada, qu'elle demandait à sa maman de mettre le pavillon en vente et de lui expédier l'argent. Elle a sorti un papier de son sac et me l'a fièrement agité sous le nez : Elle m'a donné procuration ! Je devais la croire sur parole. Je lui ai dit : Est-ce que je peux prendre les livres de Rachel ? Elle m'a écrasé de son mépris comme si j'étais un cafard qui cherche la lune : Grand bien vous en fasse ! Je suis passé au garage, j'ai rempli un carton, je l'ai mis sur mon épaule et je me suis dirigé vers la porte. Elle a crié : Et le ménage ? Je lui ai dit : Pour moi, c'est propre, je ne vois pas ce que je ferais de plus. Et je suis parti. Elle m'a rattrapé pour me dire : Si vous le désirez, vous pouvez prendre la voiture d'Ophélie. Je lui ai répondu : Je ne sais pas conduire, je n'ai pas le permis. Je l'ai remerciée et je suis parti. Je ne l'ai plus revue. C'était la troisième et dernière fois que je la croisais. La première c'était quand Rachel a fêté sa naturalisation, la deuxième quand il a épousé Ophélie ; et là, nous venons de tourner ensemble une page d'histoire dans laquelle elle et moi avions des rôles importants mais accessoires, celui de la belle-doche intempestive et celui du petit frère qui tourne mal.

Elle m'a encore rappelé pour me dire en farfouillant dans son sac : J'ai oublié, ça ne doit pas être important, Ophélie vous envoie une lettre. Comme vous voyez, elle est fermée, je ne l'ai pas lue. Je lui ai dit : Merci, madame et je suis parti.

Je suis retourné à la cité. Avec mon gros carton sur l'épaule et ma bobine de déterré j'avais l'air du cambrioleur qui rentre chez lui après une longue nuit de travail. Si la patrouille passe en ce moment, mon compte est bon, j'aurais du mal à expliquer ma passion pour les livres et l'extermination des Juifs. Mais bon, me suis-je dit pour me donner du cœur, les flics me connaissent, on passera un petit quart d'heure à philosopher et on se dira Tchao.

Me voici arrivé à la frontière de la cité. En voyant les tours plantées dans le ciel, j'ai eu le vertige, je me suis senti mal. Ma vie d'ermite était finie. J'étais comme le vieux taulard qui retrouve la liberté au moment où elle ne l'intéresse plus et qui brutalement comprend que chez lui, parmi les siens, il sera un étranger. J'avais peur, je me doutais que rien ne serait comme avant, ni moi ni la cité. Il me faudrait peut-être aller vivre ailleurs, comme un vrai émigré sans passé ni avenir.

Les livres, c'est lourd et dix étages à pied ça use. L'ascenseur a rendu l'âme il y a belle lurette, on ne se souvient pas de lui. On vit comme des montagnards, on grimpe et en cours de route on jette la corde aux vieux coincés dans les corniches. Je suis arrivé sur les genoux. J'ai sonné le plus civilement du monde. Tata Sakina m'a dit : Assieds-toi, je vais te servir un café. J'ai posé mon carton et je me suis affalé sur le fauteuil. Tonton Ali était sur sa chaise, face à la fenêtre, il regardait devant lui, quelque part à l'intérieur de sa tête. J'ai pensé que c'était quand même bon de rentrer chez soi et de voir les siens vivre comme si de rien n'était.

J'ai ouvert la lettre d'Ophélie. Il y avait un bristol et... un billet de mille dollars ! *In God we trust*, c'est marqué dessus. J'ai lu la carte en prenant le café. Un vrai, j'en avais oublié le goût. Ophélie a écrit :

Cher Malrich,

J'espère que tu vas bien et ta famille aussi. Voilà, j'ai décidé de rester au Canada et j'ai demandé à maman de mettre le pavillon en vente. Je te remercie de l'avoir gardé tout ce temps. J'espère que tu ne t'es pas ennuyé et que tu n'as pas eu trop peur la nuit. J'espère aussi que tu as arrosé les plantes. Je t'envoie un billet de mille dollars américains pour te dédommager de la corvée que je t'ai imposée. Au bureau de change, on te donnera 5 162 francs. Si c'est moins, vois avec la banque, le taux est plus avantageux. On te demandera une pièce d'identité, n'oublie pas de l'avoir sur toi. Si tu veux quelque chose de la maison, comme la télé, les habits de Rachel, ou notre voiture et les outils, ne te gêne pas, j'ai averti maman.

Je t'embrasse, cher Malrich. Sois sage. Trouve-toi une copine et sois heureux.

Ophélie

P-S : Je préfère te le dire, j'ai connu quelqu'un, nous allons nous marier.

J'ai eu une pensée pour Rachel : Mon pauvre vieux, tu viens de mourir pour la septième fois.

Journal de Malrich

Décembre 1996

Cette pluie de dollars arrive comme une bénédiction. Je vais enfin pouvoir me rendre à Aïn Deb. Je vais à mon tour remonter à la source, retrouver mon enfance, notre maison, mes parents. Retrouver mon père. Me recueillir sur leurs tombes. J'ai un trac fou. Mais je suis comblé. Je ressens ce voyage comme une nécessité, quelque chose que je dois accomplir un jour ou l'autre. J'ai besoin de sentir cette terre sous mes pieds, la sentir me porter comme un petit insecte de rien du tout. Pas seulement parce que j'y ai vécu ma petite enfance, pas seulement parce que ma mère et mes grands-parents y sont nés, et que mon père y a passé la plus grande partie de sa vie. Je crois que ça compte moins que le fait que mes parents y sont enterrés. Je ne sais comment l'expliquer, manipuler des phrases est si compliqué, je ne sais pas, je le constate, le résultat ne dit pas ce que je ressens vraiment. Je manque d'instruction, voilà. Ce que je veux dire, c'est que la mort exprime mieux la vérité des choses que la vie. Il me semble que rien ne rattache davantage un homme à une terre que la tombe de ses parents et de ses grands-parents. Je viens de le découvrir, je vais y réfléchir, parce que c'est quand même fou de dire que la mort nous rattache à la vie alors que nous savons pertinemment qu'elle est la fin de tout. Rachel disait : Le pays vrai est celui dans lequel on vit, c'est juste mais il le disait pour ces émigrés qui se condamnent à rester des émigrés envers et contre tout, ne profitant finalement ni d'un pays ni de l'autre. Il n'avait pas tort, Rachel, ça relève de la psychiatrie. Ces gens pensent à eux, à leur mort, à la tombe qui les attend au pays, jamais à leurs enfants qu'ils maintiennent dangereusement suspendus dans le vide. Alors forcément quand ils tombent ils se cassent la gueule. J'imagine mal où en serait notre Togo-au-Lait si ses parents avaient eu la bonne idée de l'élever comme son bisaïeul, il nous aurait tous dévorés, et sans regret. Le pays vrai est aussi celui où sont enterrés nos parents. Je le ressens comme ça, c'est pourquoi je me sens dans la nécessité d'aller voir cette terre, de marcher sur elle, de prendre un peu de son âme qu'elle tient de toutes les âmes qui l'ont nourrie au cours des siècles. Un secret enveloppé de mystère à l'intérieur d'une énigme, disait un nommé Churchill que Rachel considérait comme le grand héros de la guerre contre les nazis. Ça doit être ça, un pays, un mystère. En même temps, je me pose la question : pourquoi ne suis-je pas attiré par l'Allemagne ? Mon père y est né, mes grands-parents paternels y sont enterrés, une partie de mon âme est donc là-bas, dans cette Allemagne profonde que Rachel décrit comme un mystère insoluble. Serait-ce la guerre ? Le passé de papa ? Est-ce parce que je n'y suis jamais allé ? Rachel dit que c'est beau, super-organisé et que les gens sont très serviables. Un jour, j'irai.

Je le sais par le journal de Rachel, les préposés du consulat algérien de Nanterre sont très loin d'être commodes. Je m'en méfierai. Je vais voir si je ne connais pas quelqu'un de la cité qui connaît quelqu'un qui fricote avec le préposé aux passeports. Je gagnerais du temps et je sauverais mon argent.

Finalement, les choses se sont bien passées. Momo m'a dirigé sur la bonne filière, son père y avait trempé à ses débuts dans le business, au moment du boom des passeports, quand l'Algérie sortait de la terreur socialiste et que les émigrés commençaient à croire qu'ils pouvaient y retourner et en ressortir quand ils le voudraient. Ça se vendait comme du pain chaud, on paie le matin, on a son *Ausweis* le soir, livré au café de Da Hocine. Mais ça n'a duré qu'un printemps, le moulin a fermé ses portes, la dictature socialiste a repris du poil de la bête et s'est alliée à deux autres dictatures, le bazar et la religion, et cela a fait que le père de Momo s'est garé des passeports, il ne faisait pas le poids devant les nouveaux caïds. Avec le pactole, il s'est lancé dans la boucherie halal et très vite il est devenu un dépeceur hors pair dans le strict respect du Coran et des normes de qualité. L'Aïd est sa fête, il égorge à tour de bras aux quatre coins de la ZUS et s'enivre de sang ovin pour un mois. Me voilà avec un passeport algérien tout vert, tout neuf, obtenu dans la journée contre seulement cinq kilos de steak dans le filet. Le pauvre Rachel est devenu fou avant d'avoir le sien. Ça m'a fait drôle, j'avais l'impression d'être un Français clandestin. C'est le problème des sang-mêlé, il n'y a pas de chaussure à leur pied. Ce qu'il me faudrait c'est un passeport commun aux trois pays, France, Algérie, Allemagne. On fait avec ce qu'on a sous la main, répétait

M. Vincent quand il nous voyait amoureusement penchés sur nos belles brochures publicitaires à rêver du dernier cri en matière d'outillage.

Pour la première fois, j'ai vu tata Sakina s'étonner. Quand je lui ai annoncé mon intention d'aller au bled, elle a froncé le sourcil et tout à coup elle a fait semblant de ne pas avoir compris. Tu vas où? a-t-elle dit d'une voix cassée. J'ai continué avec l'air de n'avoir pas perçu son inquiétude. À Aïn Deb, pour une petite semaine, voir comment c'est, me recueillir sur la tombe des parents, retrouver les copains d'enfance. Elle a réfléchi et elle a dit : J'ai un peu d'argent de côté, j'achèterai des choses pour les enfants du village, ils doivent manquer de tout.

Puis elle m'a préparé une valise, la plus grosse qu'elle ait dénichée. La valise d'un émigré qui rentre au pays jouer au père Noël des pauvres.

Quand j'ai annoncé mon départ aux copains, rassemblés frileusement dans une cage de la cité, j'en ai entendu quelques-unes.

— T'es malade, tu vas te faire égorger!

— T'as oublié ce qu'ils ont fait à tes parents!

— Putain, tu déconnes, reste avec nous!

— Tu connais pas l'arabe et le kabyle, comment tu vas leur parler à ces gens?

— Fais semblant d'être sourd-muet.

— Habille-toi en taliban, tu passeras inaperçu.

— Évite les quartiers chauds.

— Surtout les banlieues.

— Gaffe-toi des flics, paraît que c'est une mafia.

— Évite les barbus.

— Ils vont te rôtir comme un Juif.

— Ils te laisseront pas revenir, sûr.

— Ils vont t'arrêter, ils aiment pas les Français.

— Ils détestent les beurs, ils vont te refouler.

....

À ça et au reste, j'ai fait une réponse :

— Maintenant que vous m'avez bien rassuré, je vous dis tchao. On se retrouve dans huit jours. Attendez-moi à Orly.

La veillée a été longue. Tata Sakina allait, venait, elle vérifiait que la valise était fermée, puis l'ouvrait, ajoutait un truc, un autre, la refermait, tirait sur la ficelle, puis elle retournait au salon, réfléchissait un coup et revenait rapidement tout vérifier. Tonton Ali était dans son lit, il regardait le plafond, quelque part au fond de sa tête.

Dans ma chambre, j'ai lu et relu le journal de Rachel, le passage sur son voyage au bled, l'aéroport, les policiers qui dévisagent les arrivants et qui d'un claquement de doigts font sortir les suspects du rang, l'atmosphère de camp d'extermination qui règne dans les rues d'Alger, les taxis clandestins qui abandonnent leurs clients en rase campagne, les faux barrages, les gendarmes terrés dans leurs blockhaus, la nature qui souffre le martyre. Curieux sentiment, plutôt que de me décourager le tableau noir m'a encouragé. Je n'ai jamais pensé que remonter à la source des choses était chose facile. Tout a un prix. J'étais prêt à le payer. Rachel parlait de chemin de Damas, je ne sais pas à quoi ça renvoie mais ça doit être ça : le chemin d'Alger.

Tata Sakina n'a pas fermé l'œil de la nuit. Elle n'a pas bougé du salon. Elle remuait des idées. Je suis son dernier

141

fils, quand tonton Ali ne sera plus là, elle n'aura que moi.
Je dois revenir.

Moi non plus, je n'ai pas fermé l'œil de la nuit. J'ai lu
puis j'ai éteint et, les yeux au plafond, j'essayais de réfléchir. Tant de choses me turlupinaient. Je suivais les idées
qui se présentaient, et plus je les suivais plus il s'en présentait. À force, je me suis assoupi dans l'embouteillage.
J'étais dans les vapes, et tout à coup je me suis vu dans
un couloir lugubre, fébrile comme un condamné à mort.
Je me débattais contre je ne sais quoi, une force qui me
poussait dans le vide, et voilà que, surgis des ténèbres,
deux hommes encagoulés se jetaient sur moi, me saisissaient par les bras et m'emportaient en haletant. Je
pédalais dans le vide. Ils me balancèrent au milieu d'un
stade dont les gradins étaient remplis à ras bord de
bagnards étrangement hagards et silencieux, et alors
que je cherchais le moyen de me relever et de fuir, des
hommes effrayants sortirent du souterrain, m'encer-
clèrent et se mirent à scander mon nom avec une sorte
d'extase gutturale dans la voix : Schiller!... Schiller!...
Schiller!... et de poursuivre le bras tendu vers moi : *Zig
Heil!... Zig Heil!... Zig Heil!...* Dans les gradins, le silence
se fit si intense que j'en pleurai de douleur. Je me suis
réveillé d'un bond et j'ai allumé. Maman, où suis-je? Je
me suis pris la tête entre les mains. Mon regard est tombé
sur la valise traînant au milieu de la chambre. Je ne me
souvenais pas de l'avoir abandonnée là. C'est bête, c'est
un truc à se prendre les pieds dedans, je l'aurais collée
au mur, glissée sous le lit, posée sur la chaise. Mon regard
ne pouvait s'en détacher. Elle me fascinait, m'effrayait,
et en même temps je souriais en moi-même, c'est un
objet, une boîte en carton, une valise d'émigré qu'il faut

142

attacher sinon elle s'éventre toute seule. A-t-on idée d'emporter des vêtements quand on ne va nulle part, ou alors pour huit petits jours chez des amis, dans son autre chez-soi? Elle dit autre chose, cette valise : à moi qui baigne dans l'Extermination, elle dit la déportation, elle dit la vie que l'on laisse derrière soi.

Ce n'était pas le moment de me faire peur, tantôt je m'envole pour un pays où la guerre bat son plein, où pas un homme n'est assuré de finir sa journée. Haut les cœurs, bon sang, je suis un enfant de la cité, j'en ai assez vu pour affronter le diable en personne! Mais le temps de me remettre, tout recommençait. Je lis, j'éteins, je fixe le plafond, bien décidé à ne pas réfléchir. Je me retrouve à réfléchir à la meilleure façon de ne pas réfléchir et les mêmes idées déferlent. De nouveau, j'étais drogué et renvoyé dans ce stade où les revenants scandaient toujours mon nom. Le cercle infernal. Je me suis levé pour de bon, j'ai poussé la valise sous le lit, je me suis assis par terre sous la fenêtre, dos au mur, et j'ai monté la garde jusqu'au petit matin. Je ne fus soulagé que lorsque l'immeuble retrouva son tintamarre de croisière. Il était quatre heures du mat, les vieux Africains en babouches de zébu se préparaient vaillamment à entreprendre leur migration diurne à travers la brousse, les croyants s'adonnaient fiévreusement à leurs ablutions, et la marmaille de la tour, tirée brutalement de ses cauchemars nocturnes, hurlait à péter le tympan d'un sourd. Puis les télés et les radios ont démarré sur les chapeaux de roue. Tata Sakina n'était pas en reste, elle avait mis tonton Ali sur sa chaise devant la fenêtre, fait le ménage, préparé le petit déjeuner. J'ai vérifié cinq fois mes papiers et j'ai attendu l'heure en buvant café sur café. Je tremblais. C'était la première fois que je prenais l'avion depuis mon arrivée d'Algérie, la première fois que je quittais la France, la première fois que j'affrontais l'inconnu, la première fois que je sentais la mort si proche. Et ce serait la première fois de ma vie que je porterais une valise. Une angoisse terrible.

Journal de Rachel

Juin, juillet 1995

Voilà plus d'un mois que j'erre en Europe. Toujours sur les traces de mon père. Je remontais le temps. C'était l'histoire de ma vie. Je ne supportais plus la France, Paris, le pavillon, les petites attentes quotidiennes. Trop de choses d'un coup, la compagnie m'avait viré, Ophélie m'avait quitté, et la santé m'avait abandonné. C'était arrivé sans que je puisse réagir. En vrai, je voyais venir et je ne bougeais pas, je laissais venir. Dans un champ de bataille, criblé de cette manière et stoïque à ce point, je serais devenu une légende vivante mais là, dans ma camisole de force, bouger ne servait à rien, le mal venait de l'intérieur. Tout en moi était cassé. J'étais comme ces gens définitivement brisés, veufs d'un grand amour ou rescapés d'un désastre absolu, qui entrent dans des deuils qui ne finissent jamais. J'avais perdu ma place dans la société et dans la vie, j'étais un paria, le fils de mon père, disait une épave de mes amis, le merveilleux Adolphe, alias Jean 134, fils du non moins remarquable Jean 92. Au travail, on faisait comme si je n'existais pas, pas de missions, pas de réunions, pas d'appels, et je ne réclamais pas. Les papiers étaient dans le pipe, non loin du sommet, on attendait. Que faire, le président était par monts et par vaux, à la recherche d'un nouvel eldorado. Quand ils sont arrivés, je suis parti comme si je n'avais jamais travaillé dans cette boîte. Une dernière signature a suffi pour gommer dix années de bons et loyaux services. On ne m'a compté que les six derniers mois ; c'est vrai qu'ils étaient calamiteux au regard de mes francs succès tout au long de ces neuf dernières années et demie. Mon bon M. Candela m'a serré la main, pétri l'épaule et dit : « Passe à la maison quand tu veux. » En bon gars du Sud qu'il est, il lui est venu une larmichette à l'œil. J'ai promis et je suis parti. J'en avais fini avec les pompes et les vannes, et les problèmes de cavitation qui découlent bien d'un défaut de fabrication et non d'une mauvaise utilisation par les clients ou de la qualité catastrophique de leur eau, de leur pétrole ou de leur lait, je peux me l'avouer à présent que je suis délié de mon obédience. Ophélie avait atteint le point de non-retour, la décision était arrêtée dans sa tête, elle respirait de nouveau à l'aise, petit à petit elle mettait ses affaires en ordre comme une vraie ménagère qui prépare son déménagement. Et je ne disais rien. De temps en temps, elle me regardait, la tête rejetée en arrière, les yeux mi-clos, puis elle haussait les épaules et reprenait son manège. C'est son côté abeille, il est plus fort que son côté femme. Un jour, elle est partie. Elle m'a laissé une lettre sur la table de la cuisine. Je l'ai lue et je l'ai rangée dans le tiroir. J'avais parfaitement compris qu'elle s'était résolue à ce qu'elle devait logiquement faire, je ne lui en voulais pas. On ne vit pas avec un inconnu, un être aussi rébarbatif. Et encore elle ne savait rien, la pauvre chérie, l'inconnu était le rejeton d'un monstre qui pouvait à tout moment se muer en chef SS et la rôtir dans la gazinière. Mon corps avait cessé d'envoyer des signaux d'alarme, la cote d'alerte était franchie, à ce stade on ne sent rien, sinon de temps à autre une petite sclérose et l'envie cafouilleuse de s'arracher la peau. J'étais absent de la vie, la distance entre le monde et moi s'était trop étirée, le flou s'était installé, le silence s'était épaissi, les heures passaient à vide et le vide se creusait de lui-même. J'étais comme l'étranger de notre clairvoyant Camus, un extra-

146

terrestre sur terre, tout est là mais le sens est absent. J'étais peut-être mort et je ne le voyais pas. Comment savoir, je me trouvais dans un état où tout est relatif, donc sans importance.

Ainsi vont les grandes calamités, ça couve dans les entrailles de la terre, un jour ça se fissure dans un coin, un soir ça grince quelque part dans l'édifice, on soupçonne une possible ruine, on commence à croire que ça peut sauter d'un moment à l'autre, et le temps de se donner une raison d'espérer, tout à coup, patatras, tout est à terre. Et une immense colonne de douleur monte vers le ciel. Puis tombe le silence, et quelque chose qui ressemble à un vide colossal. On est hébété, écrasé, éreinté, amputé de sa dignité, puis on sombre dans la prostration, dans l'autisme, plus près que jamais de la fin. J'en étais là et même plus loin, dans la noirceur absolue, le 9 de l'échelle de Richter, et pour autant que l'on voit quoi que ce soit dans les grands abîmes, j'étais seul. Seul comme personne au monde. Dans les moments de lucidité, je me disais que mon tourment venait de ce que j'étais un drôle de rêveur, un pauvre débile arrivé dans un monde de cauchemars renouvelés, avec l'idée d'une vie simple, élégante, perpétuelle. Mais le plus souvent, à l'instar de ce cher Adolphe devant son absinthe mortifère, je ne me disais rien, le rêve, la vie, l'harmonie, la simplicité étaient des mots qui n'avaient pas de sens pour moi. Avais-je le droit de les utiliser sachant combien mon père les avait bafoués? Ma position est étrange. Et combien douloureuse. Et combien dévastatrice. J'étais dans la peau et le quotidien squelettique d'un déporté qui attend la fin et j'étais dans la peau de mon père, jaloux de son sacerdoce, qui apporte la fin. Les deux extrêmes étaient réunis en moi pour le pire. Comme les mâchoires d'un étau fermé.

L'avocate d'Ophélie est passée. Une petite mignonne boulotte qui avait l'air d'avoir des soucis avec son asthme. Ou alors elle aimait haleter pour impressionner ses clientes et quelque part inquiéter la partie adverse. Ses joues étaient roses à souhait et ses seins laiteux à aveugler les chauffards d'en face. Elle m'a souri comme une vraie professionnelle et, l'air de rien, elle m'a demandé de signer des papiers. J'ai obtempéré sans regarder et je lui ai dit : Ce n'était pas la peine d'y ajouter le silence, il est juste que tout revienne à ma future ex-épouse. Vous serez bien aimable d'intercéder pour moi, j'aimerais rester dans son logis le temps de trouver un pied-à-terre loin d'ici. Elle a promis et m'a souri très charitablement. Sur ce, nous nous sommes séparés très satisfaits l'un de l'autre.

J'ai dû tout faire machinalement. Je ne me souviens de rien. Un matin, je me suis retrouvé à Roissy avec entre les mains une carte d'embarquement pour Francfort. Pour tout bagage, un sac. Deux trois trucs de rechange, le livret militaire de papa, et ce gros cahier qui ne me quitte plus depuis... oui, depuis avril 94, ou un peu plus tard, à Aïn Deb, quand la *Chose* est entrée en moi.

Pendant que j'accomplissais les formalités de contrôle, je me posais la question : Pourquoi, Francfort ? C'est dans l'avion que la mémoire m'est revenue. Sur son livret militaire, il est noté que Hans Schiller a fait des études d'ingénieur à l'école de chimie de l'université Johann Wolfgang Goethe de Frankfurt am Main. Le reste est venu de la déduction, de mes recherches. J'avais lu quelque part que c'est dans les laboratoires du groupe de chimie industrielle IG Farben, avec l'appui de l'université JWG, sous la direction du très sinistre Nebe, le chef de l'Einsatzgruppe B, que le Zyklon B, le gaz de la mort, avait été mis au point. Dès lors, je ne pouvais écarter l'hypothèse que papa, qui terminait son cursus à cette époque, fût impliqué d'une manière ou d'une autre dans ces recherches et dans les débats interminables que le projet de gazer les déportés avait soulevés parmi les dignitaires du Reich, ses intellectuels et ses âmes charitables. La question qui les tarabustait était celle-ci : s'il est décidé de gazer les *Vernichtung Lebensunwerten Lebens*, Juifs et autres *Minderwertige Leute*, les idiots, les malades, les Romanichels, les homosexuels, faut-il procéder humainement ou le résultat seul compte-t-il ? La première approche, la solution humaine, *humansten lösung*, impliquait l'utilisation d'un gaz inodore ou mieux l'acide prussique qui a une odeur douceâtre, que la firme IG Farben produisait en quantité industrielle pour un usage agricole et domestique, la destruction des parasites des hangars et la vermine des appartements. Les gazés ne sentiraient rien, ne se verraient pas mourir. À un moment, ils tomberaient comme des mouches et tout serait dit. Ce qui est bien la plus humaine des façons de tuer, *eine der humansten Tötungsarten*. Et de plus *elle soulagerait les bourreaux de l'horreur de leur travail*. Mais il s'avérait que cette méthode comportait un risque sérieux pour les soldats allemands et accessoirement pour les opérateurs des chambres à gaz, les *Sonderkommandos*, des déportés mis à la torture de ramasser les cadavres de leurs frères et de les emporter aux crématoriums, lesquels pouvaient, après une première fournée de suicidés, pénétrer innocemment dans les chambres à gaz et être décimés sans se douter de rien. Certains, et ceux-là emportèrent la décision, étaient partisans de rendre le gaz fortement irritant par l'adjonction d'un *avertisseur*, un *Warmstoff*, pour signaler sa présence résiduelle dans les chambres et ses miasmes durant les opérations de manipulation des bonbonnes de gaz naturellement susceptibles de fuir. Il fallait choisir entre le soldat et le condamné, disaient-ils en guise d'argument massue, entre la sécurité de l'un et l'inconfort de l'autre. On opta pour la manière sage, le problème était ainsi posé qu'il conduisait le plus humainement du monde à privilégier les siens. Les gazés souffriraient atrocement mais le but étant de les tuer

149

et de brûler leurs cadavres, ce désagrément ne comptait pas et pouvait être moralement accepté. Pour amadouer les âmes sensibles, on mit au point une ruse : aux condamnés que l'on conduit à la chambre à gaz on dira qu'ils vont prendre la douche, ils seront heureux et reconnaissants. Mais c'est le genre de ficelle que l'on ne peut utiliser qu'une fois, dans les camps tout se sait tellement vite. En fin de compte, la promesse sera réservée aux nouveaux déportés qui par nature sont indésirables dans le camp : les *Inutiles*, les vieux, les enfants, les femmes enceintes, les malades, les handicapés. Ils y croiront avec beaucoup de plaisir.

J'avais lu que de nombreux tests avaient été effectués sur des cobayes humains, à Francfort et dans une de ses banlieues, aujourd'hui disparue. On les traitait par groupes de cinq, par groupes de dix, des lots tantôt homogènes, des femmes, des hommes, des enfants, des malades, tantôt hétérogènes, par familles, le père, la mère, le fils, la fille, la grand-mère, et la petite bonne si elle est juive aussi ou demeurée sur les bords, le but étant de déterminer les quantités de gaz nécessaires et suffisantes, dans un cas et dans l'autre, pour les amener tous à trépas dans un délai raisonnable. La capacité respiratoire étant différente d'un sujet à l'autre, on conçoit que l'on ait pu établir un lien entre ceci et cela, le volume d'air inspiré par unité de temps et la vitesse d'accès au trépas, et considérer ces distorsions naturelles, comme le fait qu'un bébé avale nette- ment moins d'air que l'adulte mais qu'il est infiniment plus fra- gile, un rien l'emporte. C'est l'histoire de Galilée, quand, devant un public de prélats pantois, il démontrait par l'expé- rience que les corps, légers ou lourds, tombent au sol à la même vitesse, donc indépendamment de leur masse. Un adulte est solide mais il avale plus d'air alors qu'un bébé aspire moins d'air mais il est plus sensible. Au final, une chose dans l'autre, ils arrivent à trépas en même temps. Ces expériences ont seulement montré qu'on pouvait enfourner des humains sans tenir compte de leur sexe, leur âge, leur état de santé. Tués d'une balle, d'une corde ou d'un bain de gaz, ils meurent pareillement. On n'avait pas à les trier, ce qui était une facilité certaine dans le cadre d'une extermination de masse. Le problème n'en reste pas moins complexe, il y a tant de paramètres qui entrent en jeu, le stress, le dosage, les modalités mêmes de l'exécution, la forme des chambres à gaz, le comportement des opérateurs, etc. Il s'en est trouvé qui s'intéressèrent au paranormal et au religieux, la vie et la mort étant des abstractions qui parfois sortent de l'ordinaire et peuvent créer des remous dans la tête des opérateurs ; on a parlé de malédiction des rabbins, de fantômes revanchards, de miracles dangereux et conclu qu'une mécanisation poussée balaierait ces fariboles, le travail à la chaîne donnant à chaque opérateur l'impression de s'acquitter de la tâche la plus innocente de l'extermination. Comme dans les pelotons d'exécution, chaque soldat est libre de se persuader d'avoir tiré la fameuse balle à blanc. Cette approche taylorienne a été étendue à tout le processus, depuis le recensement des Juifs en ville jusqu'à l'incinération de leurs cadavres dans les camps, en passant par leur arrestation et leur transfert. Le maillon n'a pas à savoir qu'il tient la chaîne à lui seul. Devant la mort nous ne sommes pas égaux, l'un meurt d'un simple courant d'air alors que l'autre, pas forcément plus gros, plus grand ou plus malin, peut survivre à un tremblement de terre. Il revient à la machine d'égaliser notre rapport à la mort. Des moyennes sont donc à établir, prenant en compte les paramètres les plus pesants. Des abaques furent établis afin de permettre une exploitation mécanique dans les camps d'extermination où la main-d'œuvre ne brille pas par l'intelligence. L'abaque est une sorte de règle à calcul facile d'utilisation. On déplace la réglette centrale de l'instrument sur le chiffre indiquant le nombre de personnes entassées dans la chambre, on place le curseur sur le volume de la chambre exprimé en mètres cubes, et par simple lecture, on a la quantité de Zyklon B à injecter dans la tuyère. Le résultat est corrigé en remettant la réglette sur le chiffre indiquant la température de la chambre et le curseur sur le chiffre indiquant la quantité de Zyklon B initialement trouvée. Par beau temps, avec une température ambiante de vingt-cinq degrés centigrades par exemple, la mort est garantie pour quatre-vingt-quinze pour cent des sujets dans un délai de trente minutes. Par temps froid, en dessous de cinq degrés centigrades, la masse d'air est en quelque sorte figée, le gaz se diffuse mal, le rendement s'en ressent. On peut être obligé de recommencer l'opération ou d'accroître la quantité de fluide. Dans les deux cas, perte de temps, perte d'argent. Gaspiller dix minutes et trois Reichsmarks par sujet n'est rien mais pour une perspective de dix millions d'individus promis au trépas, la faillite représente cent millions de minutes et trente millions de Reichsmarks, de la folie pure pour un pays engagé par ailleurs dans une guerre mondiale autrement plus salutaire.

On découvrira plus tard que la théorie était fausse. Vraie seulement dans les conditions idéales de l'expérimentation en laboratoire, à petite échelle. Dans la réalité, il en va autrement. Le problème des fuites n'étant pas le moindre, calfater un cagibi pour deux trois cobayes en mauvais état et étancher un hangar pour deux mille personnes endurcies par la détention qui tourne H24 sont deux problèmes différents. J'en étais à l'influence de la température en exploitation réelle. Il s'avéra que par temps chaud le rendement est déplorable, optimal au contraire par temps froid. L'aberration en secoua plus d'un mais rapidement le mystère fut éclairci tandis que d'autres apparaissaient, car dans la réalité rien n'est jamais conforme à ce que l'on prétend dans les papiers. Ainsi le Zyklon B n'avait pas toutes les qualités que lui prêtaient les notices du fabricant et le contenu des fûts, deux cents litres selon l'étiquette commerciale, présentait des variations de volume assez sensibles pour compromettre une opération de gazage sur trois. On penserait évidemment aux inévitables fuites mais il y a d'abord le fardage que les sociétés amies du Reich, IG Farben en tête, pratiquaient pour arranger les statistiques destinées aux administrations de tutelle. C'est une affaire de gros sous et de *backhand*, les pots-de-vin aux copains. Revenons à la température, ce paramètre a occasionné son comptant de problèmes, il mérite quelques développements. Quand il fait chaud, les gaz se détendent, s'élèvent et vont se concentrer dans les hauteurs de la chambre. C'est le principe même des gaz. Les sacrifiés l'ont vite compris, à l'apparition des premiers troubles ils se jettent à terre, ferment les yeux et ralentissent leur respiration. Au final, lorsqu'on ouvrait les vantaux de la chambre, trente minutes plus tard, stupéfaction, on trouvait nos sujets allongés, mal en point mais vivants pour la plupart. On était en droit de penser que les morts l'étaient plus par l'effet de la panique, de l'écrasement et de l'étouffement, que par l'attaque au gaz. En revanche, par temps froid, les gaz restent au niveau du sol, bien concentrés, et le résultat est excellent. On a bien trouvé des survivants, de jeunes enfants que les parents avaient portés sur leurs épaules aussi longtemps que possible, mais ces exceptions venaient seulement confirmer la règle. Les pauvres petits étaient si mal en point qu'en vérité ils s'éteignaient sur le chemin du *Krema*, le four crématoire. Il n'était pas nécessaire de les gazer une deuxième fois, perspective horrifiante pour les opérateurs. La forme des chambres et leur taille comptaient aussi pour beaucoup. Avec une chambre étroite et un plafond bas, le rendement est remarquable, mais il est difficile d'y faire entrer les sujets, ils paniquent devant ce qu'il faut bien appeler un caveau. La révolte pouvait être au menu et engendrer le désordre, chose que le règlement mettait en tête des péchés en terre germanique. Ce qui advint dans nombre de camps, où il fallut en fin de compte se résoudre à agrandir les chambres. Une chambre vaste avec un plafond haut les rassure. Allez savoir pourquoi. La nature humaine est insaisissable, car le résultat est le même et les condamnés le savaient. La préférence des *Sonderkommandos* allait évidemment aux chambres de grande taille. Moins d'effort, plus de morts, résultat qui horripilait les servants des *Kremas* lorsque la capacité de leurs fours n'était pas en adéquation avec les quantités livrées. Les cadavres s'entassent un peu partout, ça pourrit, ça attire les rats, les mouches et tutti quanti, ce qui est bien le summum du désordre.

Finalement, gérer une exploitation de cette nature n'est pas si facile qu'il ne paraît. C'est de la grande industrie, avec tous les pépins que l'on peut imaginer, les problèmes de main-d'œuvre dont la sous-qualification et l'absentéisme, les coupures de courant, les ruptures de stocks, le déséquilibre entre l'offre et la demande des chambres et des *Kremas*, qui bouleverse les plannings, casse les rythmes de travail, crée des goulots d'étranglement et du chômage technique. Il y a le management, comme on dit aujourd'hui pour dire que c'est plus compliqué que la gestion, avec ce qui le caractérise, des critères de performance hors de raison mais posés en religion, les zizanies, les coteries, les conflits d'autorité, la guéguerre pour les postes, les peaux de bananes. Les camps se jalousaient à propos de tout, les équipements reçus, les budgets octroyés, les bons experts affectés où le besoin n'est pas mieux prouvé, ils rivalisaient d'entregent, d'ardeur, d'inventivité, tous avaient à cœur de séduire le Führer, tous tremblaient à l'idée de décevoir le ténébreux Himmler. Mais voilà, on ne peut pas avoir l'œil sur tout et quand ça se dérègle en un point, ça se répercute sur toute la chaîne d'exploitation. Comment désigner un responsable dans ces conditions ? À peine réglait-on un problème que trente-six autres surgissaient à côté. Ce peut être des catastrophes terribles, un incendie, une explosion, une pandémie brutale, une évasion, un sabotage, avec ce que cela engendre de confusions en série, de rapports à écrire, de stress à endiguer, de sanctions à prendre qui en définitive éclaircissent les rangs et font chuter le sacro-saint rendement. Il fallait des spécialistes à demeure pour les traiter en temps réel. Le dilettantisme et le bricolage à la petite cuiller étaient proscrits, le Troisième Reich les avait placés avant les sept péchés capitaux. Il ne faut guère plus de cinq minutes pour convoquer le peloton d'exécution et moins de temps que cela pour signer une affectation au front russe. Dans la partie gaz, un ingénieur chimiste expérimenté était requis et dans la partie four, un spécialiste de la combustion. Et des médecins, des laborantins, des comptables, des fourriers, bref des techniciens partout, le camp ne se réduit pas aux chambres à gaz et aux *Kremas*, il y a le reste de l'usine, et d'abord les ateliers de toute nature ainsi que les exploitations agricoles à qui revenait l'honneur de répondre au meilleur coût aux besoins du Reich en produits industriels et naturels. Un camp de bonne taille, c'est quand même trois cent, quatre cent mille internés, en perpétuel roulement, un personnel de surveillance en proportion, des dizaines de services et une organisation du travail poussée à l'extrême. Interrogez n'importe quel maire ou P-DG, il vous le dira, gérer une ville ou une entreprise de cette taille n'est pas une mince affaire. Un génocide industriel n'est pas à la portée du premier *serial killer* venu. Et coordonner vingt-cinq camps d'extermination dispersés sur plusieurs pays est une affaire titanesque qui ferait tomber plus d'un gouvernement de nos jours. Qu'on imagine seulement la question de la logistique ferroviaire et on verra avec effarement la somme colossale de tâches précises à effectuer selon une programmation verrouillée à la minute près. On ne joue pas avec les trains n'importe comment. Ces millions de gens, avant de les gazer, il faut d'abord les repérer, les identifier, les recenser, les capturer, les regrouper, les transporter, les dispatcher selon des critères multiples, parfois contradictoires, les enregistrer de nouveau, les nourrir, les vêtir, les soigner, les faire travailler selon les normes du Reich, les surveiller, les sanctionner, et enfin les détruire, et tout cela devait s'accomplir en temps et lieux, et dans le plus grand SECRET. Ne l'oublions pas : le secret était la clé de voûte de la Machination, le ressort sans lequel elle ne pouvait fonctionner. Il était à la Solution finale ce que l'invisibilité est à Dieu ; enlever l'un ou dévoiler l'autre et tout s'effondre. J'ai lu quelque part qu'au plus haut niveau de perfectionnement du système, le seul camp d'Auschwitz brûlait jusqu'à quinze mille âmes par jour. On imagine le train d'enfer que c'était. Papa y a passé un temps, il a dû drôlement peiner. Mais comme il avait bourlingué à travers tous les camps d'Allemagne et de Pologne, son expérience l'a aidé à tenir le coup.

C'est en pensant à lui, à son travail si harassant, si peu gratifiant, que j'ai collationné tant d'informations sur les chambres à gaz et les fours crématoires. Je voulais savoir de quoi était fait son quotidien au service de l'extermination. J'ai aussi pensé que juger son père exigeait que l'on sache ses crimes dans le détail, qu'on en qualifie chaque étape, et qu'on en reconstitue le déroulement au plus près. Il restera le chapitre des circonstances mais j'avais réfléchi à la question et je crois être arrivé à la conclusion qu'un homme phagocyté par le Mal qui ne se suicide pas, qui ne se révolte pas, ne se livre pas pour réclamer justice au nom de ses victimes mais au contraire s'enfuit, dissimule, organise l'oubli pour les siens, n'a pas droit à la compassion, à aucune circonstance atténuante. Toujours les enfants sont impitoyables pour leurs pères, mais c'est parce qu'ils les aiment, qu'ils les admirent plus que n'importe qui au monde. Je pensais aussi et d'abord aux victimes de ce gigantesque enfer et je me disais que tout le sens du monde est parti en fumée avec eux. Nous sommes dans une ère nouvelle, l'impossible est tout ce qu'il y a de possible. Avec l'informatique, l'automation et les méthodes modernes de manipulation des masses, le grand Miracle est à notre portée. Qu'on songe à tout ce qui a pu être infligé à tant d'honorables peuples avec des bréviaires aussi nuls que *Mein Kampf*, et des moyens dérisoires de pays plutôt sous-développés : le « Livre rouge » de Mao, le vert de Kadhafi, celui de Kim Il-song, celui de Khomeyni, celui de « Turkmenbachi » Saparmourat, qu'on songe aussi à ces millions de pauvres gens détruits par des sectes misérables en idées et en moyens.

J'ai étudié tant d'autres choses. Ainsi, ce problème jamais réellement solutionné, je veux dire d'une manière générale, applicable à tous les camps : Quel est l'état de santé des déportés le plus approprié à la vie du camp, celui qui concilie au mieux les exigences de productivité du travail et les impératifs de sécurité ? Malades, trop affaiblis, ils ne foutent rien, ils gâchent le bien du Reich, en bon état ils sont dangereux, ils réfléchissent, se révoltent, fomentent des mutineries, organisent des évasions, sabotent les installations, trompent les kapos, des brutes trop épaisses pour se méfier de ce qu'elles ne voient pas, sapent le moral des jeunes soldats qui ne sont pas rodés au vice. Simple à poser et difficile à résoudre, le problème a fait l'objet d'innombrables études et de très nombreuses expérimentations. D'abord, les malades ne sont pas tous de vrais malades. On l'a assez vérifié, ceux qui se disaient à l'article de la mort ont vu mourir beaucoup de leurs coreligionnaires avant de tomber à leur tour ; et nombre de ceux qui se prétendaient au mieux de la forme étaient en vérité dans une démarche suicidaire, ils voulaient littéralement se tuer au travail ; c'est les plus dangereux, le désespoir les rend rusés, âpres, vicieux, ils sont capables de tout, s'emparer d'une mitrailleuse et arroser dans toutes les directions jusqu'à la dernière balle, mettre le feu aux baraquements, se ruer sur un garde et l'égorger ou le plaquer contre la clôture électrifiée jusqu'à ce que leurs chairs brûlées se soudent dans la mort. La consigne sans cesse rappelée est de les débusquer à temps et de les éliminer pour l'exemple ou, si cela est possible, c'est quand même de la force de travail, les remettre en situation d'espérer ; les recettes ne manquent pas, parfois un geste d'amitié suffit à faire tomber la fièvre suicidaire, souvent la manière forte est la solution.

Avec les mots d'aujourd'hui, on dirait que c'est un problème de recherche opérationnelle, un cas effroyablement complexe qui prend en compte des paramètres quantifiables, mesurés par les médecins, et d'autres qui ne le sont pas, comme l'influence des longs hivers sur le comportement, la pestilence qui horrifie l'âme et la déglingue, la terrible et infinie solitude de l'individu, les bisbilles entre internés, le poids des rumeurs, l'arrivée de nouveaux déportés qui enflamme l'attention ou au contraire la désespère, la brise, que sais-je, le moral d'un homme est comme la fumée, un rien l'emporte d'un côté ou de l'autre et au bout du compte il s'étiole et se perd dans la folie. Seul le flair et l'expérience des vieux routiers des stalags ont pu permettre de les surmonter. Les solutions ont toutes été trouvées dans les camps, de manière empirique, jamais dans les laboratoires de la capitale où on se plaisait dans les élucubrations intellectuelles et les expérimentations en vase clos. Comme pour tout, le terrain est plus à même de suggérer des solutions que les reconstitutions théâtrales aseptisées qui visent à impressionner les autorités, les *Bonzen*, et obtenir d'eux des crédits, des galons, des promesses. Foin des modèles réduits, ils sont la négation de la réalité, l'horreur n'est pas un paramètre marginal de l'expérience mais le cœur de l'affaire. Au camp, on a les mains dans le sang et la merde, on joue son âme, on se démène, on mise sur tout dans l'urgence, le moral des internés, leurs zizanies, on organise des fêtes, des compétitions, des conflits, on distille des infos visant à accroire des choses, une libération prochaine, la livraison massive de patates, de pains, de poêles, l'agrandissement du camp, la réorganisation du travail, l'installation de vraies douches, l'ouverture de bibliothèques, la possibilité d'envoyer du courrier, pourquoi pas. Dans le vide on peut tout dire, il y aura toujours un écho. On peut aussi faire le contraire, les briser menu, les priver de tout, les battre comme plâtre, semer la terreur, leur mener un train d'enfer jour et nuit, pour les ramener sur terre. Quand l'espoir les visite, ils s'excitent, ils s'acharnent, deviennent audacieux, il suffit d'une étincelle. En les trompant, en alternant le chaud et le froid, aux bons moments, on corrige le tir, on casse des processus, on désorganise les clans, on gagne du temps, on préserve le rendement, on l'améliore. C'est le bon vieux système appliqué aux conscrits, on les fait crapahuter pour rien, pour dilapider leur énergie, on les rassemble à tout bout de champ et on les fait se compter les uns les autres pour rien, pour qu'ils s'abrutissent, on les fait bosser de l'aube au crépuscule pour rien, pour qu'ils perdent tout espoir de liberté, on organise des alertes pour rien, pour les inquiéter, on les punit pour rien, pour qu'ils comprennent que leur vie tient à un fil, et un matin on les chasse de la caserne pour rien, pour qu'ils aillent mourir ailleurs. Seule différence, dans les camps, le travail c'est la mort, la punition c'est la mort, les sévices c'est la mort, les soins c'est la mort, la permission c'est la mort, les loisirs c'est la mort, la pitance c'est la mort, l'alerte c'est la mort, et la quille c'est la Mort sur-le-champ. *Un homme qui meurt pour un oui ou pour un non.* La bonne recette est évidemment de faire disparaître les anciens avant qu'ils ne se fassent trop de corne et corrompent la bleusaille. D'un autre côté, c'est les anciens, les roublards, qui assurent le rendement, les arrivants sont trop effrayés pour s'appliquer au travail. La peur se propage, en un rien de temps elle tourne à la panique. Là aussi, on est devant un problème de recherche opérationnelle ardu, un équilibre est à trouver, à maintenir constamment afin que le système perdure, tourne efficacement, sans danger. N'oublions pas que la finalité des camps est l'extermination et que si tous le savent personne ne le dit, ne le pense vraiment, ni le condamné par besoin d'espoir, ni le bourreau par souci de productivité, on fait comme si la mort était une simple sanction lourde parmi d'autres sanctions lourdes, et cela fait que leurs relations de travail sont extraordinairement complexes.

La conduite de tels camps est tout sauf facile. Quand je me mets dans la peau de papa et que je me pénètre des incroyables difficultés qui étaient les siennes et que je les compare à celles que peut connaître une multinationale comme la nôtre, même au plus bas de la conjoncture économique, sous le pilonnage des échotiers, le bombardement des agioteurs, la fronde des clients, les ukases des fonctionnaires et le terrorisme des syndicats, je ricane. Les exploits de la formidable organisation militaro-industrielle nazie sont inégalés, inégalables.

Ce voyage était-il nécessaire ? Sur un plan technique, sûrement que non. Ce qu'il y avait à savoir, je le savais. Ce que je voulais, c'était être là où mon père est passé et lui parler pardessus la barrière du temps. Sinon qui me dira ce que je veux savoir de lui, quel fut son parcours, dans quel état d'esprit il était quand il dispensait la mort à cette échelle ? S'est-il révolté, jouissait-il de son pouvoir ? Pourquoi cette haine du Juif, pourquoi une haine si totale, qu'en attendait-il ? Lorsque le Troisième Reich est tombé, à quoi pensait-il, à la fin du monde, à la fin d'un monde ? Quels furent ses sentiments lorsque à la découverte des camps d'extermination l'humanité entière a poussé un cri d'effroi qui a dû s'entendre à l'autre bout de l'univers ? S'est-il réveillé ? S'est-il offusqué, s'est-il dit que l'humanité n'avait rien compris, et qu'à l'autre bout de l'univers la fin des mondes est une banalité, une fatalité inscrite dans l'ordre immémorial des choses ? Le chaos vient du chaos et retourne au chaos, c'est mathématique, ça se lit dans le ciel comme dans un livre ouvert. Tant de civilisations, d'empires gigantesques et de peuples fameux ont disparu, où est la nouveauté, il faut bien que l'ancien meure pour que le nouveau apparaisse. Ces questions me rendent fou, parce que j'en connais la réponse : papa ne s'est pas suicidé, ne s'est pas livré, il a fui, il s'est tu, il a oublié. *Il ne m'a rien dit.*

Je me suis logé dans un minuscule hôtel de charme lumineux comme un petit soleil de printemps. De ma fenêtre, je voyais l'université plantée dans un décor de rêve où le vert est roi. Du gazon ras, des arbres centenaires, des haies taillées au laser, des bassins avec, je suppose, de la poiscaille bien nourrie par des mains invisibles animées des meilleures intentions, en tout cas ayant le souci de la ponctualité, de la mesure et de la qualité. Au milieu du site, assise sur une butte rondelette, sa majesté l'université Johann Wolfgang Goethe. Oh la belle bâtisse ! Seigneuriale, richissime, et si appétissante dans ses couleurs rosâtres. J'ai pensé avec tristesse à mon école de Nantes et je voyais une minable souillon renfrognée, embarrassée par son balai et ses gamelles. Là, l'impression de temple de la science saute aux yeux. Les étudiants, innombrables et disciplinés, allant en grappes ou en file indienne, ont l'air de vieux savants austères, à la fois soucieux et distraits, mais aussi ébouriffés, rieurs et gentiment dépenaillés, comme tous les savants de leur âge. Les profs font fausse note, ils ont la dégaine de bougres anachroniques foncièrement inoffensifs, venus de la campagne faire leurs courses au mauvais endroit. Ils portent un panier, un cabas, un sac de toile ou un filet à l'ancienne. Je me suis souvenu que l'Allemagne était en pleine crise écologique, ce qui allait bien avec son formidable tissu industriel. Le bon vieux cartable en peau de vache ou en similicuir n'était pas à l'honneur à l'université de Francfort, cette année. En mon temps, à Nantes, on en était au sac à dos du randonneur, imperméable à tout, et je me souviens que M. Candela, en soixante-huitard narcissique qu'il était, m'a dit qu'à son époque on venait les mains vides et on repartait avec une étudiante au bras. Autres temps, autres mœurs.

Jusque-là, je pouvais prêter à mon futur père quelques circonstances atténuantes, voir en lui le bon potache, le joyeux drille, le citoyen formaté par décret, le brave bidasse qui vit dans le plaisir et l'insouciance, qui marche au feu sans se prendre la tête. Il est jeune, il ne sait pas, la Solution finale est un secret d'État, une affaire prodigieusement intime entre le Grand Führer, perché dans son nid d'aigle, l'imprenable *Berghof*, et le petit déporté affamé, là-bas, quelque part au fin fond de l'Europe, dans un stalag coupé du monde par les tempêtes de neige. On se doutait, on en parlait par allusion, on voyait bien que les étoilés, les Juifs, et autres *Minderwertige Leute* se faisaient rares dans les rues, que beaucoup de boutiques restaient désespérément fermées, que les *Judenhaus* avaient changé d'occupants et que les synagogues s'étaient converties en locaux utilitaires, mais la guerre est la guerre, il faut d'abord la faire, c'est après qu'on dresse le compte des morts et des disparus et que les secrets d'État comme les cadavres remontent à la surface.

J'ai erré dans les alentours de l'université. Un étudiant, ça passe sa vie dans les bistrots et les tavernes, c'est là qu'on parle, on refait le monde, c'est là qu'on cuve ses déceptions. Qu'ai-je fait d'autre à Nantes, quatre années durant? Je les ai tous visités. Mais je n'arrivais pas à sentir l'ambiance oppressante, arrogante et fiévreuse de l'Allemagne nazie.

Dans cette Allemagne d'aujourd'hui, libérale et européenne jusqu'au bout des ongles, modérée à l'excès, tout est nickel, brillant, chaleureux, bon enfant alors même que la population visible est en moyenne plus que jamais très avancée en âge. J'aurais voulu être un magicien et rajeunir tout ça d'un coup de baguette, badigeonner le tout de noir, de gris, de fumeux, à l'ancienne, rendre à la rue ses pavés, aux immeubles leurs habits lépreux d'avant-guerre, aux dames ce charme bourgeois balançant entre dignité et dévergondage, aux jeunes filles ce look de championnes olympiques, aux commis d'État leur raideur d'automates dangereux, aux ouvriers leur dégaine de hobereaux déchus taillables et corvéables à merci, aux tribuns leurs accents de malades mentaux. Je n'arrivais pas à imaginer le jeune Hans Schiller, trop d'images se superposaient dans ma tête, celle de l'officier SS irréprochable dans sa robe noire, celle du cheikh de Aïn Deb de mon enfance drapé dans un burnous blanc immaculé, celle de l'Allemand d'affaires sanglé dans son costume sombre, cet *Homo economicus* bien réglé que je croise dans tous les aéroports d'Europe, qui a fait la puissance tranquille de l'Allemagne contemporaine, et celle de ces étudiants prometteurs, prématurément tombés dans le sérieux. Oui, ce jeune Hans que je n'arrive pas à visualiser a droit à la sympathie, il est jeune, il ne sait pas. Il est passé entre les bras musculeux des *Hitlerjugends*, les Jeunesses hitlériennes, il y a laissé le peu de bon sens que l'adolescence a pu retenir de l'enfance. Je suis passé par là, les Jeunesses FLN, les *Flnjugends*, ce n'était pas grand-chose, de la bibine d'amateurs encore bien crottés, mais je sais ce qu'il en reste, du bruit dans la tête, des slogans baveux dans la bouche et plein de vilains petits réflexes dans les pattes. Les années de fac ne l'ont pas bonifié, le Hans, le profil était tracé, et le temps était à la propagande intensive, à la vigilance de fer et bientôt au *Blitzkrieg*, la guerre-éclair. On comprend bien qu'il était difficile

163

de réfléchir pour son propre compte. Dès lors, sa captation par les équipes de chercheurs sur le Zyklon B relevait du simple jeu des probabilités. Il était là, on avait besoin de quelqu'un en tablier blanc pour tenir les éprouvettes, surveiller l'alambic, relever des mesures. Se croyant reconnu, élu, honoré, il a applaudi, le jeune ingénieur Hans. Sans doute pensait-il que le gaz à inventer était destiné, comme cela se disait, à éradiquer les poux dans les camps. « Quels camps ? » aurait-il peut-être demandé. « Les camps de travail du Grand Reich ! » lui aurait-on répondu comme on défend l'idée d'une croisade urgente contre la pauvreté et l'humiliation. La vraie question : « *Mein Got, vas ist das*, qu'est-ce là ? », se l'est-il posée lorsqu'un jour, le soir ou à l'aube, entre deux halos blafards, dans un faubourg éloigné de Francfort, et dans une ambiance à couper au couteau, il assista à sa première expérimentation in vivo, le gazage d'une famille juive trop ahurie pour proférer un mot ou de quelques vagabonds avinés, trop abrutis pour deviner ce qui leur pendait au nez ; et toutes les questions subséquentes qui envahissent naturellement l'esprit : Que fais-je ici ? Est-ce possible ? Dans quel but ? Je préfère croire qu'il s'est rebiffé mais qu'ayant compris qu'il avait mis le doigt dans l'engrenage d'un énorme secret d'État, il ne pouvait plus reculer. Seul compte le premier pas, et là, il en avait fait plusieurs d'un coup. Le reste vient de lui-même, on cuve sa douleur dans un coin, on se lèche la plaie et on avance, on dissimule ses pensées, on les oublie et chaque jour on oublie plus sûrement, puis on adopte celles qui font concert et chaque jour on y croit avec plus d'accent ; et il y a les grands lâches, les matamores, qui sont devant, à tuer avec entrain, ça rassure, on est dans la bonne direction, la seule possible. Papa est très vite arrivé au saint du saint de l'horreur, il fallait bien quelques dispositions pour cela. Une innocence indécrottable ? Une bonne dose de lâcheté ? Un peu de conviction? Peut-être beaucoup. Peut-être même une vraie rage contre le Juif et autres *Minderwertige Leute*.

Mon Dieu, qui me dira qui est mon père?

Je suis reparti de Francfort am Main comme je suis venu. Comme je suis revenu de Uelzen et comme je suis revenu de ce trou, près de Strasbourg, où gîte *le fils de son père*, mon ami et associé Adolphe. Il me fallait poursuivre ma route. Jusqu'au bout. Jusqu'à la fin.

Journal de Rachel

16 août 1995

S'il était une démarche inutile, c'est bien celle-là : j'ai écrit au ministre algérien des Affaires étrangères. Je le sais, ma missive ne lui parviendra pas, elle sera interceptée et broyée à temps, ou transmise à la police secrète qui en fera l'usage qu'elle voudra, ainsi que le suggérera sans faute la mention à *toutes fins utiles*, portée sur le bordereau d'envoi. Il n'empêche, je me suis dit que cela devait être fait, je l'ai fait. Le moment venu, je consulterai un avocat sur les suites à donner. Et pour ça aussi, j'irai jusqu'au bout.

Monsieur le Ministre,

Le 24 avril 1994, aux alentours de 23 heures, mes parents ainsi que trente-six de leurs voisins, hommes, femmes et enfants, ont été sauvagement assassinés dans leur village, Aïn Deb, sis dans le département de Sétif, par un groupe armé non identifié. Selon la télévision française, rapportant la conclusion de la télévision algérienne, le groupe armé non identifié est indubitablement un groupe de terroristes islamistes bien connu de vos services de police. Je pense que ce drame ne vous est pas inconnu, il est certainement arrivé à votre connaissance. Les observateurs étrangers et les ONG qui se préoccupent de la défense des droits de l'homme ont dû plus d'une fois vous

167

le rappeler et peut-être ont-ils été jusqu'à réclamer des explications.

Dans la liste des victimes établie par les services du ministère algérien de l'Intérieur et transmise sous votre couvert à l'ambassade d'Algérie à Paris, mon père et ma mère figurent sous des noms qui ne sont pas ceux de leur état-civil. Ma mère est identifiée sous son nom de jeune fille, Aïcha Majdali, et mon père sous un pseudonyme, Hassan Hans dit Si Mourad. Je vous transmets ci-joint les copies de leurs cartes nationales d'identité, vous verrez que mon père s'appelle Hans Schiller et que pour ma mère il est noté : Aïcha Schiller née Majdali, tous deux de nationalité algérienne. Il me paraît du plus normal que les citoyens d'un pays doivent vivre et mourir sous leur identité officielle et que c'est seulement sous cette réalité que les informations les concernant peuvent être publiées. Je ne crois pas qu'en la matière les lois algériennes diffèrent sensiblement des lois en vigueur dans la quasi-totalité des pays du monde.

Je vous serais donc infiniment reconnaissant de bien vouloir instruire les services compétents à l'effet d'inscrire mes parents sous leurs noms véritables dans la liste des victimes et de m'en faire parvenir une copie officielle. Faute de cela, je me verrais, Monsieur le Ministre, hélas, dans l'obligation de les considérer comme disparus et d'engager toutes les démarches nécessaires pour les retrouver et notamment une action en justice auprès des institutions habilitées, algériennes, françaises, allemandes ainsi que la Cour internationale de justice. Vous comprendrez que je puisse être en droit de penser que l'État algérien est impliqué dans le meurtre et de voir dans la liste établie par lui la preuve qu'il a quelque chose à se reprocher, du moins à cacher en ce qui concerne mes parents. Si vous jugez que cette rectification ne se peut pas, je vous prie de m'en donner la raison. Je peux comprendre certaines nécessités.

Je profite de l'occasion pour vous demander où en est l'enquête pour retrouver les coupables de ce crime abominable et les traîner devant la justice. Plus de quinze mois se sont écoulés et à ce jour aucune information sur l'avancement de l'enquête n'a été fournie au public, ni aux parents des victimes. Sur ce point, je me verrais également obligé d'engager toutes actions visant à vous contraindre et à établir que vous êtes partie liée d'une opération d'étouffement de la vérité.

Veuillez agréer, Monsieur le Ministre, l'expression de ma très haute considération.

Il est trop tard, la lettre est partie mais là, en relisant ma copie, je m'en veux, elle est conciliante. Parce que je m'adressais à un ministre, je me suis bêtement mis dans la position du quémandeur, du faible qui fait montre de docilité, de patience, de sa compréhension citoyenne pour les *Bonzen*, pris par le temps, assaillis par les sollicitations et les obligations proto-colaires. Je trouve humiliant que les victimes aient toujours à demander, à supplier, à attendre. C'est insupportable.

Quand viendra le moment de la relance, je m'exprimerai comme doit s'exprimer une victime : elle réclame, elle exige, ne tolère aucun atermoiement et refuse par avance toute langue de bois. Ces gens-là sont à notre service, pas l'inverse.

Journal de Malrich

15 décembre 1996

C'est un miracle que je sois arrivé à Aïn Deb. Mon Dieu, quelle histoire, quelle aventure ! À la descente d'avion, à l'aéroport international Houari-Boumediene d'Alger, nous avons été cueillis au pied de la passerelle, rassemblés et parqués au milieu de la piste, tous les passagers, hommes, femmes et enfants, et nous avons attendu plus d'une heure sous une pluie battante et un vent glacial qui nous cinglait par le travers. Les hommes toussaient, les vieux et les malades se sont effondrés, les bébés hurlaient, les femmes les suppliaient de se taire, elles les distrayaient comme elles pouvaient, les pauvres. Ça murmurait dans les rangs, nous étions trempés comme des chiffons. Ce n'est pas tout de le lire ou de l'entendre dire, il faut imaginer deux cents personnes encombrées de leurs bagages, angoissées à mort, battant le tarmac par un temps pareil, sous la garde nonchalante d'une meute de flics invisibles sous leurs cirés. Une heure plus tard, quatre policiers en gabardine vert foncé et lunettes de soleil sont arrivés dans une voiture noire. Clac, clac, clac, clac, ils sont sortis. Des agents spéciaux. Il allait se passer quelque chose, la nouvelle équipe était vraiment effrayante. Le chef a relevé le col de son imper,

171

coincé ses lunettes sur le front et s'est mis à tourner autour de nous en silence, lentement, très lentement, dévisageant l'un, l'autre, et sans qu'on comprenne pourquoi, il disait à certains : Toi, sors, va là-bas... toi aussi... et toi... toi, là, avance... toi aussi... et toi, rejoins-les... toi, pas la peine de te cacher, avance. Il dévisageait autant les femmes ; à l'une il a dit : Enlève tes lunettes, à une autre il a dit : Relève ta capuche. À un vieux malade tombé à terre, il a dit : Lève-toi. Sa voix me foutait les chocottes, elle était plate, machinale, neutre à un point inimaginable. Je sentais que cet homme, personne ne lui avait jamais désobéi. Il pourrait rester chez lui, dans son lit ou assis derrière son bureau, et partout dans son territoire les gens exécuteraient ses pensées sans broncher. Quand je pense que le Com'Dad est obligé de parlementer debout avant d'en appeler au juge, je me dis que quelque chose ne tourne pas rond en Algérie. Ou en France. J'étais le seizième à sortir du rang. Il m'a regardé sans ciller et il m'a dit du bout des lèvres : Va te mettre avec les autres. Après moi, il en est sorti cinq autres. Au total, nous étions vingt et un suspects mis à l'écart. Des jeunes pour la plupart. Les autres passagers ont été conduits vers un bâtiment rabougri portant au front une interminable enseigne lumineuse proclamant en trois langues : Hall d'arrivée. Bienvenue en Algérie. *Arrival. Welcome in Algeria*, et en arabe que je ne sais ni lire ni écrire. Nos compagnons de voyage avaient déjà oublié notre malheur commun, pas un ne s'est retourné pour nous saluer ou nous plaindre, ils souriaient, se bousculaient pour s'éloigner le plus vite. Ils avaient bien de la chance. Un peu plus tard, alors que nous avions de l'eau jusqu'aux chevilles, un camion militaire bâché est venu piler devant

172

nous. Sur un ordre du chef, les agents spéciaux nous ont retiré nos passeports, nos billets, nos petites valises de cabine et nos sachets, et nous ont ordonné de grimper dans le camion. Je ne le croyais pas, je tremblais de peur, ça sentait la déportation. La flicaille ne m'a jamais impressionné, au contraire j'adorais la défier en public et la voir hésiter sur la conduite à tenir. J'étais tétanisé, je n'arrivais pas à réfléchir, je sentais que jamais plus je ne bougerais même si on venait me jurer que tout cela est une gentille plaisanterie pour une caméra cachée. Puis, le camion a démarré et a foncé vers ce qui semble avoir été jadis une zone de fret. D'immenses hangars rouillés, des allées larges de cent mètres, des trucs qui traînent, les dalles de béton descellées par les racines, un blindé garé sous un château d'eau, à chaque coin des nids en sacs de sable avec au milieu deux soldats agrippés à une mitrailleuse. Pas âme qui vive, rien qui bronche, sinon le vent qui hurle, l'eau qui ruisselle et les panneaux métalliques dessoudés qui grincent à écailler les dents à vif. Il se dégageait une ambiance à se tordre de douleur. Le camion est entré dans l'un des hangars et a pilé au centre. Ses freins ont dégazé à mort. Le chauffard a longuement fait vrombir le moteur, accélérant à fond, et d'un coup a coupé le contact. Le hangar a failli exploser sous le terrible silence qui lui est tombé dessus à l'improviste. Un silence comme celui-là a vraiment un écho terrifiant, je n'aurais jamais cru que l'absence soudaine de bruit pouvait être aussi assourdissante. C'est fou, c'est comme si on disait qu'une personne est vivante et morte à la fois. Nous en étions là d'ailleurs, plutôt morts que vifs. Certains toussaient à se décrocher les poumons, d'autres étaient exsangues, moi je larmoyais de l'acide. Je me suis demandé si le chauffard ne voulait pas nous exterminer avec ses gaz d'échappement mais, comme il était avec nous dans le hangar, j'ai conclu que c'était innocent, il décrassait son moulin, on ne peut pas être aveugle au point de se gazer soi-même, les gaz de combustion ont une odeur spéciale qui les signale de loin, on ne les respire pas comme on respire des fleurs. Ne reste pas longtemps *Sonderkommando* qui s'oublie dans la chambre à gaz. Le hangar est si vaste et si disjoint qu'il eût fallu trente camions et une semaine entière pour nous amener à trépas, comme disait Rachel. On serait mort de faim avant. Ou de folie. J'ai eu une pensée pour mon frère, mon pauvre Rachel, mort de cette manière, les poumons desséchés, le cœur meurtri, le corps épuisé. Seul dans son garage, seul comme jamais. Puis tout a été très vite, on nous a débarqués, le camion est reparti, et aussitôt les immenses portails du hangar se sont refermés sur nous dans une explosion de bruit atomique. Ils nous ont abandonnés dans le noir, sans un mot, sans un regard. Nous avons paniqué un moment puis voyant qu'il ne se passait rien, sinon le vent qui secouait le hangar et l'eau qui gouttait en cascade de la toiture, nous nous sommes calmés et nous nous sommes rassemblés dans un coin pour nous réchauffer les uns les autres. Certains se sont mis à fumer goulûment comme si c'était leur première cigarette de la journée ou la dernière. Une heure plus tard, nous étions morts de froid, de faim, de soif. Et ce n'était que le début.

Je me suis fait un copain de mon voisin de galère, Slim, un étudiant qui rentrait au pays pour passer les fêtes de Noël dans sa famille. Je lui ai demandé s'il était au courant de ce qui allait nous arriver, il a répondu qu'il n'en savait rien. Il m'a expliqué qu'il voyageait souvent entre Paris et Alger mais que c'était la première fois que le tirage au sort le désignait. Il a ajouté en rigolant : Peut-être que maintenant j'ai une tête de terroriste. C'est un optimiste. Nous avons discuté de choses et d'autres. Il est étudiant en informatique à Jussieu, il habite le seizième chez un oncle à lui qui est professeur à l'hôpital de la Pitié-Salpêtrière. Un fils de riche. Il m'a dit qu'au contraire il était dans la misère, il avait une bourse de la Coopération de rien du tout, son oncle ne pouvait pas lui offrir plus que le gîte, le couvert, la carte Orange et un petit quelque chose pour la soif. Le week-end, il lui passe la Mercedes 300 décapotable avec un plein de fioul et de quoi assurer les faux frais. Il a ajouté qu'il était obligé de jouer le stagiaire de direction dans la banque d'affaires d'un grand ami de son oncle pour financer sa semaine de neige en Suisse. Ensuite, il s'est plaint de la France, le froid, la discrimination, l'insécurité, la cherté de la vie, la saleté des rues, l'arrogance des policiers et des fonctionnaires, et le reste, la préfecture qui lui refuse une carte de séjour de dix ans sans motif valable. Un difficile. Il m'a dit que son projet était de s'installer à Londres après la licence et de monter un bureau d'études international avec ses cousins pour faire de l'argent avec l'Afrique. Je l'écoutais, je le comprenais, mais c'est comme ça, je ne supporte pas les enfants gâtés, je lui ai dit ce que tata Sakina m'a répété pendant des années : C'est pas bien d'être ingrat. Il l'a bien pris, il m'a dit : Je suis pas ingrat, c'est la France qui l'est. Quelqu'un de vraiment difficile. En voilà un qui ne se mouche pas du coude, disait M. Vincent quand il voyait débouler un mec en Ferrari qui lance les clés en regar-

175

dant le plafond, en disant : Vérifiez-moi ça ! Ces mecs-là, c'est grand guignol et petit truand, on poussait leur carrosse dans un coin du poulailler et on prenait tout le temps pour leur arranger une facture digne d'un roi. Nous avons encore parlé de choses et d'autres et nous avons projeté de nous revoir à Alger et à Paris. Ni lui ni moi ne pensions que nous resterions indéfiniment dans ce hangar. Il vaut mieux être optimiste quand on ne sait pas.

Une heure plus tard, les agents spéciaux sont revenus. Ils nous ont alignés devant le chef qui, l'un après l'autre, nous a posé une série de questions. C'était mon tour, il voulait s'assurer que je m'appelle bien Malek Ulrich Schiller, que j'ai légalement obtenu mon passeport, que je venais bien voir ma famille à Aïn Deb, que je ne faisais rien d'illégal dans la vie et que je ne nourrissais pas de mauvaises intentions. Mon nom l'a perturbé, il répétait : Ton père, il est allemand et toi tu es algérien ? Je lui ai expliqué qui était mon père, un savant, un musulman, un héros, un ancien moudjahid, un grand cheikh et un *chahid*. Il m'a dit : Va te mettre là-bas. Il désignait la gauche. Mon copain Slim m'a bientôt rejoint. Une heure après, nous étions deux groupes à attendre, l'un à droite, l'autre à gauche. Nous nous regardions avec angoisse, et de l'aigreur, chacun se disait : Si mon groupe en est là, c'est à cause de l'autre. Le tri terminé, le groupe de droite a été embarqué dans le camion et ils sont partis. Vers où, je ne sais pas. Un flic est venu vers mon groupe et nous a dit : Suivez-moi. Nous l'avons suivi comme des moutons. Il nous a conduits vers le bâtiment marqué Hall d'arrivée, Bienvenue en Algérie. Il nous a dit : Cassez-vous ! On ne se l'est pas fait répéter. Nous avons effectué les formalités de sortie en tremblant, police des frontières, douanes, fouille des bagages et du corps, petit interrogatoire de routine, déclarations diverses, change obligatoire, paiement de taxes, et nous nous sommes retrouvés dehors, morts de fatigue, de faim, de soif, de froid, d'humiliation, trempés comme des chiffons, mais libres et heureux de l'être. J'avais l'impression d'avoir purgé une peine de trente ans dans un bagne. La lumière du jour m'a fait mal aux yeux et la valise de tata Sakina m'arrachait le bras. Longtemps, je me suis demandé ce qu'étaient devenus ceux de l'autre groupe. Je refusais de penser qu'ils les avaient torturés, tués, déportés ou quoi d'autre. Je préfère croire qu'ils les ont simplement jetés en prison et que les parents ne seront pas inquiétés. Un jour, quand la guerre sera finie et les camps ouverts aux enquêteurs, on saura ce qui leur est arrivé.

Slim a téléphoné chez lui pour qu'on revienne le récupérer. Ils ont pensé que j'avais été refoulé ou assassiné. Le vieux était en train de téléphoner à Paris, c'est la panique, m'a-t-il dit en rigolant. C'est vraiment un enfant gâté, me suis-je dit. Nous avons attendu en observant ce qui se passait dans l'aéroport. Il y régnait un grand silence. Les gens allaient et venaient avec nonchalance ou peut-être beaucoup de prudence. À un moment, nous avons vu un policier tracter un groupe de jeunes menottés deux par deux qui croyaient pouvoir partir comme ça. Leur compte est bon, quitter son pays c'est quelque part l'insulter. Ils seront sûrement gazés. Nous, on arrivait et on a eu droit au régime spécial. Un peu plus tard, j'ai vu nos agents spéciaux, qui étaient attablés à la cafétéria, se lever brusquement, verrouiller leurs gabardines, abaisser leurs lunettes de soleil et partir d'un bon pas. Ils sont passés devant nous, on s'est cachés à temps. À côté de cet aéroport, ma banlieue est une maison de retraite, on a le temps de s'ennuyer. Je devrais dire on avait, parce que depuis l'arrivée du nouvel imam et du nouvel émir, le Quatrième Reich s'annonce à pas de géant. Quand je suis parti, le décor était planté, la propagande tournait à plein régime, la vigilance de fer se mettait en place et le *Blitzkrieg* était dans l'air. Je me demande comment je trouverais la cité à mon retour et si ma famille et nos voisins seront là. Ils me manquaient déjà. Je n'imagine pas l'avenir sans eux, sans mes copains, Momo le fils du boucher halal, Raymou le fils du garagiste, Togo-au-Lait, Idir-Quoi, Cinq-Pouces, Manchot, et Bidochon le garçon de café qui sait si mal préparer le café, fils de pauvres travailleurs innocents à l'extrême. Slim-le-Gâté m'a raconté sa vie parisienne, ses copains, ses copines, et ensuite il m'a raconté sa vie algéroise durant les vacances, les longues journées vidéo, les repas de famille bien réglés, les petites boums à la maison, les sœurs qui invitent leurs copines pour réviser. Je me demandais de quoi il parlait. Je lui ai raconté la cité. Il m'a regardé comme si j'habitais un autre pays. Sur ce, son père est arrivé, heureux et affolé. C'est un grand prof à l'hôpital d'Alger, un ancien des hôpitaux de Paris. Sur leur chemin, ils m'ont déposé à la gare routière. Slim-le-Gâté m'a dit avec un clin d'œil : Passe à la maison quand tu reviendras de ton trou, on révisera nos leçons.

Rachel aussi avait des goûts de riche. Avait-il besoin de prendre un taxi à prix d'or alors qu'il y a les cars. Pour trois sous, ils t'emmènent au bout du monde avec tes paquets et toute ta famille. À l'entrée de la gare routière, un terrain vague en crue, grillagé n'importe comment, où une centaine de cars dessoudés se faisaient la guerre pour entrer, s'arracher le client et se sauver, se tenait une sorte d'épouvantail qui orientait les égarés. Je lui ai expliqué mon cas. Contre cinquante dinars, il m'a dit en répondant à d'autres égarés en même temps : Ouais, ouais, c'est ça, tu prends le car numéro 12 pour Sétif... toi le 8 pour Oran... et toi le... euh... le 36 pour Sidi-Bel-Abbes... hein, quoi? ouais, quand tu arrives à Sétif, tu prends le car pour Bordj Kédir... et toi... attends un peu... oui, tu prends celui de Tiaret ou Mascara, c'est pareil... et toi celui de Ouargla et de là tu continues avec la caravane qui va à El Goléa... et toi, tu fais le stop pour rentrer chez toi... c'est où déjà? J'ai répété en articulant. Il a dit en partant se bagarrer avec un autre épouvantail qui venait le concurrencer : Aïn quoi... Deb?... ouais, ouais, c'est comme je te dis. Et il m'a abandonné dans la gadoue et la cohue.

Tout s'est passé comme il a dit et comme Rachel a raconté dans son journal. Les convois militaires, les barrages, les gendarmes, les routes désertes, le silence ahurissant, le car qui fonce sans regarder, les voyageurs qui vomissent de peur. La différence est qu'il pleuvait le déluge et qu'un vent sibérien nous cinglait par le bâbord. À chaque virage, le car mordait sur le précipice. Si le terrorisme ne nous tue pas, ce sera le car. Ou le froid. On s'est accordé une halte dans un village qui semblait mort depuis le dernier dinosaure. Pas un homme, pas un fantôme, que des troglodytes super-emmitouflés. Le cafetier nous a servi un café brûlant, a encaissé et il est parti se cacher. À Sétif, j'ai changé de car. C'est mieux organisé qu'à Alger, le chasseur autoproclamé m'a dit et pour seulement cinq dinars : Tous les minicars de couleur bleue vont à Bordj Kédir, tu peux pas te tromper. À Bordj Kédir, je suis tombé sur un clandestin qui a accepté de me rapprocher de Aïn Deb contre un bon prix. Sa Peugeot 403 ne ressemblait à rien de connu. Il m'a dit : Ça va mal dans le coin, il y a des gens qui vont, qui viennent, c'est bizarre. Je lui ai demandé qui étaient ces gens et ce qu'ils voulaient. Il m'a regardé et il s'est tu. Peut-être se méfiait-il de moi, peut-être ne me comprenait-il pas, je lui parlais avec mon petit français et tout l'accent arabe des banlieues dont j'étais capable. J'avoue que moi de même je le comprenais mal, j'ai supposé que c'était de ça qu'il parlait, les terroristes, je le voyais lorgner sans cesse à droite, à gauche, comme s'il craignait une attaque par le flanc. Il m'a abandonné à la fourche de deux sentiers inondés, à peine visibles dans l'obscurité. Il m'a dit en me désignant la piste de gauche, qui grimpe, alors que celle de droite dégringole : C'est par là... environ trois kilomètres. J'ai compris à son geste du bras et aux trois doigts qu'il agitait sous mes yeux. Kilomètre est un mot international, il se passe de traduction. Le clandestin a aussitôt disparu dans les ténèbres, tous feux éteints. J'ai pris une bonne respiration et j'ai crapahuté sous une pluie battante, avec un vent qui heureusement me cinglait par l'arrière.

Enfin bref, miracle, je suis arrivé à Aïn Deb. Mort de fatigue, de faim, de soif, trempé comme un chiffon, couvert de boue, et les deux bras arrachés par la valise de tata Sakina. Et j'avais chopé la crève. Si c'était comme ça tous les jours dans les camps, je veux bien être gazé tout de suite, me suis-je dit alors que la nuit se faisait plus

180

noire et que là-haut, sur la colline, là où Rachel s'était tenu un jour comme un homme égaré, le vent redoublait de férocité. Il a manqué de me précipiter dans le vide, mais lesté de ma grosse valise d'émigré, j'ai seulement chancelé.

Et tout à coup, la question cruciale a bondi dans ma tête : Comment serais-je reçu? Je n'avais pas écrit, pas téléphoné. À tout dire, je n'y avais pas pensé, j'avais décidé ce voyage sur un coup de tête, grâce au cadeau d'Ophélie. Qu'importe, me suis-je dit, depuis la mort de papa, maman et Rachel, le contact avec Aïn Deb est rompu. J'étais un étranger qui débarquait par hasard. J'étais aussi le fils du village, revenu sur les traces de mon frère, à la recherche de notre père, de notre mère, de notre vérité.

De ma colline, le village se devinait à peine. J'attendais l'éclair suivant pour prendre des repères. J'avançais par saut comme un parachutiste. À un moment, alors que le ciel s'embrasait dans un déluge de lumière et de bruit, j'ai vu de la fumée se tortiller au-dessus des cheminées. J'y étais enfin.

Un enfant de la cité n'est jamais à court d'idées. J'ai traîné la valise et je suis allé frapper à la porte de Mohamed, le fils du cordonnier, un copain d'enfance. Je me suis souvenu qu'on l'appelait Mimed et qu'en ce temps il n'était pas mieux chaussé que nous. C'était la meilleure méthode pour rentrer au village sans déclencher la panique générale. Le souvenir de la tuerie doit encore les hanter. En avançant à pas de loup, je priais Dieu que Mimed fût encore vivant. À cette heure tardive, il était 20 heures passées, les bonnes gens avaient récité leur dernière prière et dormaient du sommeil du juste.

Je passe sur les détails, j'ai commis la bêtise de gratter à la porte au lieu de toquer carrément, ce qui a provoqué des mouvements furtifs à l'intérieur de la maison, suivis d'un conciliabule affolé, puis d'un début de panique quand, au lieu de me présenter franchement j'ai chuchoté entre mes mains : Mimed, ouvre, c'est moi, Malrich... Malrich est mon surnom en France, il n'a pas cours ici, il a été compris comme un mot de passe ou quoi d'autre. Puis tout est rentré dans l'ordre, j'ai parlé clairement, je me suis identifié officiellement : C'est Malek, le fils de Hassan et Aïcha, le frère de Rachid, ouvre, bon Dieu! Mohamed ne m'a pas reconnu et je ne l'ai pas reconnu. Il a fallu un peu de temps, nous rappeler des souvenirs d'enfance, pour arriver à nous dire : C'est toi, Malek, le fils du cheikh Hassan, c'est pas possible! C'est toi, Mimed, le fils de Tayeb le savetier, c'est pas possible! Il s'attendait à voir un vieux et c'est un tout jeune qui lui parlait et moi je m'attendais à voir un jeune et j'avais devant moi un petit vieux avec une ribambelle de bébés en culotte béante qui hurlaient derrière lui en s'accrochant désespérément à ses mollets. Les pauvres pissaient de peur. Il m'a embrassé et il m'a fait entrer. Les bébés ont disparu magiquement, je les entendais trépigner derrière le rideau. Sa femme, une vieille encore jeune et en bonne santé, m'a servi un reste de couscous, des dattes et du lait, puis, après une courte disparition, est revenue avec un tapis, une couverture, un oreiller, et m'a préparé une couche devant la cheminée. J'ai mangé comme un fauve. Par une fente du rideau, les bébés m'observaient comme des fous. Ils n'avaient jamais vu d'étrangers, les pauvres, ils ne savaient pas que ça existe. Mohamed m'a jeté un burnous blanc sur les épaules puis il a ranimé la cheminée. En peu de temps, je suis revenu à la vie. Comme il était affreusement tard pour eux, 21 heures, et que je tombais de fatigue, ils m'ont souhaité la bonne nuit et sont retournés dans leur chambre. J'ai soufflé la flamme du quinquet et je me suis mis sous la couverture qui sentait bon le mouton des steppes et le blé dans sa paille. Dans l'âtre, le feu ronflait, crépitait, balançait des étincelles. C'était beau. À côté de la cheminée, dans un vieux panier roussi par les flammes, habitait une chatte avec ses gosses. Je crois qu'elle m'a souri, ses yeux brillaient dans l'obscurité. C'était trop beau.

Dehors, le vent soufflait à pleine puissance, la pluie tombait en rafales et les chiens du village qui avaient senti une odeur étrangère, la mienne, aboyaient tout ce qu'ils pouvaient. Je le savais, je me souvenais : s'ils étaient les chiens de nos chiennes d'antan, ils ne s'arrêteraient pas avant l'aube, pas avant de voir les chèvres sortir et courir joyeusement vers la basse vallée et l'oued en crue. Subitement, je me suis senti heureux. Tout cela est si innocent, éternel à souhait, qu'on oublie tout, ses malheurs et ceux du monde.

Cette nuit-là, j'ai dormi comme un enfant. Cela faisait longtemps.

Journal de Malrich

16 décembre 1996

La journée a été rude. J'ai subi ce qu'avait subi Rachel, je suis passé de maison en maison, j'ai bu café sur café, j'ai baragouiné tout ce que je savais et à la fin, un peu pour me sauver de l'étouffement, un peu parce que le recueillement n'attend pas, il ne se tient pas au crépuscule, Mimed m'a emmené au cimetière. Le soleil qui avait reparu à la première heure était sur le déclin, entouré de gros nuages noirs mais encore bien visible, et le vent est tombé. Et l'air était glacial à point, il picotait les poumons comme si c'était de l'acupuncture.

Le voilà donc le carré des martyrs où reposaient les miens. L'herbe avait poussé, la chaux des pierres avait disparu et les pierres étaient noyées dans la boue. Les martyrs étaient des morts comme les autres, rien ne les séparait, leur espace avait rejoint celui des morts naturels. Ou peut-être, plus justement, les morts naturels se sont-ils rapprochés des suppliciés afin de partager leur souffrance. Bientôt, ils seront unis dans la même poussière. La petite stèle posée par l'administration n'était plus visible, les défunts étaient placés sous la même loi, celle du temps qui efface tout.

Mimed s'est éloigné et m'a laissé seul. Dans son coin,

il récitait des prières et dans le mien, devant mes tombes, j'essayais de me recueillir dans la paix, de penser aux jours heureux de l'enfance entre papa et maman. Je n'y arrivais pas mais je me disais que bientôt je succomberais au charme de la méditation comme Rachel l'avait été au point de se retrouver à philosopher comme toute une assemblée d'imams. Soudain, j'ai eu mal. Atrocement mal. Une douleur qui m'a déchiré le ventre. Ce qui était lointain, que j'avais appris en différé, en lisant le journal de Rachel, que j'ai intériorisé, refoulé, relativisé, était devant moi, sous mes yeux, les tombes de mes parents, celle de papa, de maman et les autres, nos voisins, nos amis, mes copains d'enfance et de petits bambins que je n'ai pas vus naître, ni grandir, tués comme des chiens par on ne sait qui. Ma tête a explosé, je me suis mis à sangloter, à hurler, je ne voyais plus clair, je suis tombé à genoux et me suis cogné le front contre le sol. Tout cela était trop injuste, trop mystérieux, trop de choses étaient tues et l'impunité était là, autour de nous, souveraine, à remuer le couteau dans la plaie. Je ne savais que faire. Et d'un coup la folie s'est emparée de moi, j'avais envie de détruire, j'étais plein de haine, je m'en voulais, j'en voulais à la terre entière, j'en voulais à Rachel, j'en voulais à ce pays, j'en voulais à ces pauvres gens. Les choses ne devraient pas être ainsi, je leur en voulais de vivre dans le silence, de l'entretenir à tout prix, comme un feu sacré, un rempart qu'ils consolident contre eux-mêmes, et de faire comme si la vérité, la vie étaient des biens à cacher, à taire, et de laisser pousser les enfants dans le mensonge, la dissimulation, l'ignorance, l'oubli. J'en paie le prix. Papa ne nous a rien dit et à son tour Rachel ne m'a rien dit, et les autorités ne nous ont rien appris, elles ont détruit nos volontés. Nous voilà démunis, misérables et fragiles, et déjà prêts à toutes les concessions, à tous les silences, à toutes les lâchetés. Nous sommes des morts, pauvres de nous, des moutons, des déportés. J'en voulais à mon père qui a fait de nous des parias. J'en voulais à Dieu qui a voulu qu'il en fût ainsi, lui qui se répand à l'aise dans son univers, dans l'invisibilité et la tranquillité, qui n'entend pas nos cris, ne répond jamais à nos prières. Et puis je me fous de lui, sa vérité n'est pas la nôtre et la nôtre n'est pas la sienne. Il n'est pas des nôtres. Voilà pourquoi je veux, je souhaite que mon journal soit lu partout dans le monde par des gens comme moi, comme nous. Je n'ai rien à cacher, je ne veux rien cacher, qu'on me voie comme je suis, qu'on sache qui je suis et d'où je viens. Je me suis levé et les bras en l'air j'ai hurlé : Je suis Malrich, fils de Hans Schiller le SS, coupable d'extermination, je porte en moi le plus grand drame du monde, j'en suis le dépositaire et j'ai honte, et j'ai peur, et je veux mourir ! J'implore votre aide, on ne m'a rien dit, tout est retombé sur ma tête et je ne sais pas pourquoi. Mon frère s'est suicidé, mes parents et nos voisins ont été assassinés et je ne sais pourquoi ni par qui, je suis seul, seul comme personne au monde ! Et là, la vraie colère, la colère noire, m'a pris aux tripes, on n'a pas le droit de se lamenter, il n'y a que ça de vrai, la vengeance, le Nakam, j'en voulais aux islamistes, à ces chiens, à ces nazis, je voulais les tuer tous, jusqu'au dernier, jusqu'à leurs femmes, leurs enfants, leurs petits-enfants, leurs parents, je voulais détruire leurs maisons, leurs mosquées, leurs caves, leurs réseaux dormants et les pourchasser jusque dans l'au-delà et encore les écraser devant Dieu lui-même, ce Dieu dont ils se disent les franchisés. Et je voulais fêter leur mort comme dans un 14 juillet, pour saluer notre renaissance. Pourquoi sont-ils ainsi, mon Dieu? Pourquoi les as-tu faits ainsi? Qui peut les sauver? Qui sauvera leurs femmes et leurs enfants? Qui nous sauvera d'eux?

J'en tremblais, je suis tombé à terre et je me suis roulé dans la boue. Je voulais mourir, je voulais mourir. Je le criais de toutes mes forces.

Mohamed est venu me prendre par les épaules et comme on guide un aveugle m'a ramené au village. Ne comprenant pas le français, il a cru que mes cris étaient une révolte contre Allah, il répétait sur un ton de reproche : C'est le mektoub, Malek... c'est le mektoub, nous devons l'accepter. Alors j'ai eu envie de le tuer lui aussi, je me suis écarté et je lui ai dit : Le mektoub, le mektoub, c'est lui qui nous a faits comme ça, des peureux et des lâches qui se laissent égorger comme des moutons? Je m'en suis aussitôt voulu, j'avais honte, toute la journée les agents spéciaux de l'aéroport nous avaient traités comme des chiens, comme des déportés, nous étions effrayés, affamés, transis, trempés comme des chiffons, ils nous avaient pris nos petites valises, nos papiers, notre identité, ils nous avaient empoisonnés avec leur gaz d'échappement et abandonnés dans le noir, dans ce hangar sordide, sans un mot, sans un regard, et pas un, ni moi ni les autres, n'avait réagi, demandé, exigé que nos droits nous soient lus à haute voix avant de nous laisser embarquer. Chacun se disait en lui-même : C'est ainsi, nous n'y pouvons rien. Et tous, en silence, déjà soulagés, nous avons vu nos compagnons remonter dans le camion et partir vers l'inconnu. Je lui ai dit en hoquetant : Mimed, ce n'est pas le mektoub, c'est nous le problème.

J'avais besoin d'être seul. Seul pour toujours.

Je suis allé dans la maison de mes parents. Ma maison à présent, j'étais le dernier des Schiller. Elle sentait l'abandon et le moisi. J'ai aéré et j'ai allumé un grand feu dans la cheminée. Puis je me suis changé, j'ai mis mon burnous blanc et je me suis assis sur le banc de maman ; et je me suis mis à écrire ce qui me passait par la tête.

J'avais besoin d'être heureux et insouciant une heure ou deux, pour recharger les accus, pour ne pas sombrer dans la folie. J'ai écrit comme ça venait, des petites choses, la vie de tous les jours. J'ai dit que tata Sakina et tonton Ali seraient mieux ici, à Aïn Deb. L'air est sain, il y règne un silence reposant. Là-bas dans la cité, ils sont prisonniers, tout là-haut dans la 13, au dixième étage, ils ne sortent jamais, sauf pour les courses que tata Sakina fait avec sa voisine de palier, la vieille Maïmouna, toujours à la même heure, toujours les mêmes produits, des pâtes, du riz, de la sauce tomate en boîte et une baguette de pain bien blanche. Ici, ils auraient toute la campagne pour eux et des voisins qui se soutiennent, qui ne s'emmerdent pas avec la paperasse et les bruits de la ville. Ils auraient des poules et quelques chèvres et le reste viendrait de lui-même. Les années passent les unes après les autres, on prend le pli, on se règle sur les saisons et un jour on meurt sans que ça fasse drame mais aussi sans que ça passe inaperçu. Et le cimetière est tout à côté, c'est la même famille, on retrouve les siens et on continue avec eux dans l'au-delà.

J'ai pensé à mes copains et je me suis dit qu'à mon retour, je leur dirai tout, ce que je leur ai caché, ils ont assez vécu dans le silence et l'ignorance. Peut-être est-il trop tard et souffriront-ils beaucoup d'apprendre, mais peut-être aussi regarderont-ils la vie avec espoir, un vrai espoir, celui qui donne des ailes et l'envie de s'en servir. Moi-même, j'avais besoin de cela, de vivre et d'aimer attendre demain.

J'ai pensé à la cité et je me suis dit que nous pourrions la changer. C'est facile, il suffit de rien, nous n'avons besoin que de nous parler et de tout dire aux enfants. Le reste viendra de lui-même, et la misère s'en ira à toutes pattes, n'ayant pas où s'accrocher. L'administration sera obligée de nous écouter, elle verra dans notre regard combien nous savons ce que nous voulons, la vérité et le respect. Les islamistes n'oseront plus nous approcher, ils déguerpiront d'eux-mêmes, la tête basse, la queue entre les pattes, la barbe en berne. Le diable les remportera chez lui, il les dévorera et tout sera dit. On tournera la page et on fera une fête du tonnerre de Dieu.

J'ai pensé à Rachel et je me suis promis d'aller sur sa tombe et de tout lui dire, lui dire que je sais tout, et que grâce à notre journal le monde entier saura qui nous sommes et ce que nous avons subi. Nous n'aurons plus à nous cacher, à rougir, à mentir.

Cette nuit, je n'ai pas dormi, je l'ai passée à parler avec mes parents comme je le faisais jadis, à Rachel comme nous ne l'avons jamais fait, avec mes copains comme nous le ferons bientôt. C'est comme si déjà j'étais heureux.

Note concernant l'organisation des chapitres suivants et le choix des chroniques de Rachel. Ces dispositions m'ont été suggérées par Mme Dominique G.H.

Le voyage de Rachel à Istanbul et au Caire est intervenu au cours du mois de mars 1996, donc après sa longue quête à travers l'Allemagne, l'Autriche et la Pologne. Elle a commencé à Francfort en juin 1995, comme on vient de le lire dans un précédent chapitre, et s'est achevée à Auschwitz en février 1996. La démarche est logique sauf en un point, il est essentiel. Rachel a suivi au plus près la trajectoire de notre père telle qu'elle ressort de son livret militaire : elle commence à Francfort, se poursuit à travers différents camps d'Allemagne et d'Autriche, et s'achève en Pologne, à Lublin-Majdanek et non pas à Auschwitz. Le livret fait état d'autres affectations, en France, en Belgique, mais Rachel a pensé qu'elles n'avaient pas de lien avec l'extermination, c'était des missions de courte durée, probablement de caractère scientifique, effectuées en des lieux, Paris, Rocroi, Gand, et ailleurs, où le Reich n'avait pas de camps. Papa était un expert en chimie industrielle, on a pu le requérir en tant que tel dans une usine, un centre de formation ou un laboratoire du Reich. Pour une raison que je ne connais pas, Rachel a laissé Auschwitz en dernière étape de son périple, alors que notre père y est passé au milieu de sa carrière. Est-ce parce que Auschwitz est emblématique de l'extermination des Juifs aux yeux de l'opinion ? Je ne crois pas, Rachel était bien documenté, il savait que l'horreur était la même dans tous les camps et de toute façon, il le dit dans son journal, les déportés étaient sans cesse baladés de stalag en stalag, en fonction des besoins, ce qu'ils ne subissaient pas dans l'un ils le subissaient dans l'autre. Le fait est que cette visite, plus que les autres, l'a incroyablement bouleversé. Je crois que c'est là, à un moment très précis comme on le verra, qu'il a décidé de se suicider, de se gazer en vérité, dès son retour à Paris. Peut-être en a-t-il eu l'idée auparavant, depuis le début, à Aïn Deb, à Uelzen, Francfort, ou ailleurs, à Buchenwald, Dachau, ou durant sa longue solitude dans le pavillon après son licenciement et le départ d'Ophélie. Auschwitz n'aurait été que le révélateur, le déclencheur. C'est peut-être aussi, de manière très particulière, cette scène étrange qui l'avait tant frappé à Auschwitz et qu'il relate longuement, qui l'a décidé.

D'après son livret, papa se trouvait à Lublin-Majdanek au moment de la débâcle nazie. Les troupes soviétiques étaient entrées en Pologne et, tel un rouleau compresseur, fonçaient vers Berlin. À partir de là, sa trace se perd. Est-il revenu en Allemagne avec ses amis pour défendre le bastion, se sont-ils enfuis en Autriche, se sont-ils terrés en Pologne ? Rachel ne le sait pas. La débandade était telle dans les rangs nazis et la confusion si grande en Europe que toutes les hypothèses se valent. Le fait certain est qu'à un moment, en Pologne ou en Allemagne, un contact a été établi avec l'Unité 92 et qu'ainsi il a pu rejoindre la Turquie et plus tard l'Égypte.

Je me suis permis quelques libertés dans l'organisation des chapitres et le choix des chroniques de Rachel. J'ai placé dans le chapitre suivant son texte sur Istanbul et Le Caire, et je n'ai gardé de son très long périple allemand et polonais à travers les camps que son texte sur Auschwitz, que l'on lira dans un chapitre plus loin. Notre journal aurait été trop long, trop affreux à lire, si j'avais repris l'ensemble des chroniques. Un jour, j'en ferai un livre mais je ne sais pas si beaucoup pourront le lire jusqu'au bout.

Dans ce voyage au cœur de l'horreur, Rachel a écrit des centaines de pages, elles fourmillent d'informations techniques très précises sur les stalags et d'histoires aussi incroyables que bouleversantes, glanées ici et là, certaines racontées par les guides qui font visiter les camps, d'autres par d'anciens déportés qu'il a rencontrés dans tel ou tel camp, venus en pèlerinage. Le contact avec ces rescapés a été extraordinairement douloureux pour lui. Il a écrit des pages déchirantes. Il les approchait en se faisant passer tantôt pour un chercheur, tantôt pour le parent d'un déporté. Il les faisait parler et les poussait au détail, à la précision, au plus intime de ce qu'ils ont connu. Il collationnait aussi les noms. Tout cela, il le savait pourtant, il avait traqué le détail dans tous les domaines et s'était constitué des fiches sur tout, souvent illisibles je dois dire, ce sont des notes de lectures bourrées de formules, de symboles, de dessins, de gribouillis, de citations : l'alimentation des déportés, la blanchisserie, les ateliers, les services hospitaliers, les centres de tri des vêtements, les cliniques expérimentales, le fonctionnement des fameuses *commissions* de sélection, le marché noir, le comportement crapuleux des SS toujours à l'affût d'un bijou caché, d'une jolie Nadia, d'une bonne bouteille, une belle fourrure, une rixe sanglante à encourager, les cérémonies militaires, les commémorations civiles et religieuses, les grandes inspections des *Bonzen*, les bordels pour kapos, les harems des officiers. Il connaissait ses livres par cœur, mais il voulait entendre ces choses de la bouche de ceux qui avaient vécu le *Lager* de l'intérieur, qui avaient oublié qu'il existait un monde à l'extérieur, un monde où on vit, on danse, on lit, on apprend, on aime, on achète des fleurs, on élève des enfants, on remercie Dieu pour ses bienfaits. C'était gênant, il le reconnaissait, mais il procédait avec tact, il demandait seulement quand l'homme ressentait le besoin de parler et il se taisait, regardait devant lui en hochant la tête, quand soudain l'homme s'étouffait dans ses sanglots. L'air de rien, il leur demandait s'ils se souvenaient de leurs bourreaux, leurs noms, leurs grades, s'ils avaient des vices particuliers, des comportements plus durs que ne l'exigeait le règlement et si certains avaient fait montre d'humanité. Toujours, il les ramenait vers les chambres à gaz, les *Sonderkommandos*, les *Einsatzgruppen*, et les soldats qui encadraient les colonnes de condamnés dont c'était le tour de *prendre la douche*, et vers cet homme discret, le chimiste du stalag, qui préparait l'injection du Zyklon B, et leur demandait s'il ne leur revenait pas un nom à l'esprit. Il culpabilisait à mort, il ne cessait de se répéter : Cet homme connaît mon père, il ne l'a pas oublié, il ne l'oubliera jamais, je dois le lui

194

dire, c'est autant sa vérité que la mienne : Monsieur, je dois vous le dire, je suis le fils de Hans Schiller. Je crois qu'il ne l'a pas dit, à personne, en tout cas il n'en fait pas état dans son journal. Ce n'aurait pas été bien, on n'ajoute pas la souffrance à la souffrance.

En quittant Dachau, Rachel s'était fait la promesse d'aller un jour à Jérusalem se recueillir dans le Yad Vashem, le mémorial de l'Holocauste. Il a écrit : « Les victimes sont dans les stalags, leur poussière, leurs cendres sont en terres allemande et polonaise pour l'éternité, c'est là que je dois leur demander pardon, devant la chambre à gaz, devant le *Krema*, là où mon père leur a enlevé la vie. Mais là-bas, au Yad Vashem, je pourrai mettre un nom sur chaque victime, c'est important de dire les noms de ceux qui n'ont jamais été pour mon père que des porteurs d'étoile et des matricules tatoués dans la chair. »

Il n'a pas été à Jérusalem, au Yad Vashem. Si un jour les moyens le permettent, j'irai pour lui. Et pour moi. Et je lirai tous les noms à haute voix, et à chacun, je demanderai pardon au nom de mon père.

J'ai pensé à mes parents qui ont été dépouillés de leurs noms et enterrés sous des noms arrangés. Est-ce bien, est-ce mal, je ne sais pas. Rachel en a fait un point essentiel que pour ma part je trouve secondaire. Sur la tombe de maman, il y a son nom de jeune fille, Aïcha Majdali, comme si elle était morte célibataire, sans enfants, comme une femme impure dont personne n'aurait voulu, et sur sa tombe mon père n'a pas de nom, seulement des prénoms et un surnom : Hassan Hans dit Si Mourad, comme s'il était un bâtard, né de père inconnu. Je ne sais pas ce qu'il faut penser, l'histoire s'est écrite comme ça.

Pour le village, Hassan Hans dit Si Mourad est le cheikh, le moudjahid, l'homme au grand cœur, le *chahid*, et Aïcha est la fille de son père, le très vénérable cheikh Majdali. Je crois que devant une tombe portant *Hans Schiller*, ils auraient été réticents comme on peut l'être devant ce que l'on ne comprend pas. Je me pose des questions : les autorités savaient-elles le passé de papa ? Sans doute au maquis et au moment de l'indépendance mais depuis de l'eau a coulé sous les ponts, je jurerais que les petits *Bonzen* d'aujourd'hui ne savent rien, ils ont été formés dans le culte du mensonge et la discipline de l'oubli. À ce régime on a des certitudes et le cas échéant de vieilles consignes incertaines qui font très bien l'affaire pour mener sa barque. Pour eux Aïn Deb est le village de l'Allemand et cet Allemand s'appelle Hassan Hans dit Si Mourad. Et les habitants du village ? Le savent-ils ? Se le cachent-ils ? Papa a été des leurs trente années d'affilée, ne leur a-t-il jamais rien raconté, ne lui ont-ils jamais posé de questions, se sont-ils mutuellement compris, se sont-ils tacitement abstenus ? Ce sont de braves gens, l'hospitalité est pour eux un devoir sacré, à celui qui frappe à la porte on ne demande rien, on se met à son service et s'il veut s'installer on le marie avec la plus noble et on l'intègre. Ont-ils seulement entendu parler de l'extermination des Juifs par les nazis ? Ou sont-ils, comme je l'étais, ignorants de tout, ne sachant que ce que l'imam a pu leur en dire ? Mais lui-même, ce perroquet de minaret, que sait-il ? Je ne pense pas que le gouvernement enseigne ces choses dans ses écoles, les enfants pourraient s'émouvoir, se prendre de sympathie pour le Juif, et de là appréhender certaines réalités. Je crois plutôt qu'il enseigne la haine du Juif et qu'il maintient les esprits fermés à toute lumière. Je me souviens que quand j'étais dans les Jeunesses FLN, les *Flnjugends* comme les appelait Rachel, on ne lésinait pas sur le sujet, les moniteurs n'avaient que ce mot à la bouche, *Lihoudi*, le sale Juif, qu'ils crachaient par terre en prononçant la formule rituelle pour se rincer la bouche : Qu'Allah le maudisse et le fasse disparaître ! Les choses ont dû changer quand même, je pense qu'elles sont enrobées dans la farine ou diluées dans la muscade. L'Algérie fait partie de l'ONU, elle est soumise à des obligations de forme, sinon de fond, ce dont les *Bonzen* s'accommodent très bien. Le pays est fermé comme un coffre et le mobile est le même : plus les gens sont pauvres, racistes et pleins de colère, plus facilement on les dirige. Rachel a écrit : « Ce n'est pas avec des gens éclairés qu'on commet des massacres, il faut de la haine, de l'aveuglement et un bon réflexe à la démagogie. Toujours, à leur naissance, les États se construisent avec des fous et des assassins. Ils tuent les bons, chassent les héros, emprisonnent le peuple et se proclament libérateurs. » Au final, je dirais que personne ne sait. Un jour, quand la paix reviendra, je retournerai à Aïn Deb avec tata Sakina, et je raconterai l'histoire de Hans Schiller à Mohamed, le fils du cordonnier, à charge pour lui de l'apprendre au village. Il saura mieux que moi leur parler. Ils deviendront fous, ils refuseront de croire, ils se disputeront, me maudiront, mais la vérité est la vérité, elle doit être sue. Dans la tête des enfants, elle fera son chemin.

Le voyage de Rachel à Istanbul et au Caire n'avait pas de raisons valables, il savait tout sur les filières qui ont permis aux officiers nazis de s'exfiltrer et d'échapper aux poursuites judiciaires. À Istanbul, il n'est tout simplement pas sorti de l'hôtel. Il y a passé une journée, allongé sur le lit, à rêvasser devant la fenêtre, à gribouiller, et le lendemain, il a pris l'avion pour Le Caire. Là-bas, il voulait comprendre comment papa avait pu se retrouver plus tard, après le putsch militaire contre la monarchie, pris en main par les Moukhabarates, les services secrets de Nasser, et de là envoyé dans les maquis algériens comme instructeur ou chargé de je ne sais quelle mission. Mais qui peut savoir ces choses, les services secrets sont secrets et ce qu'ils font est secret. Au Caire, il a fait un truc qui m'a amusé et montré combien il était avancé dans la folie. Je crois que ces détours en Turquie et en Égypte n'avaient pas de but, il passait le temps, il décompressait après son plongeon dans les abîmes, il s'occupait en attendant le moment de mourir. Il l'avait choisi très exactement, ce moment : le 24 avril 1996 à 23 heures. C'est le 24 avril 1994 aux alentours de 23 heures qu'est intervenu le massacre de Aïn Deb. Papa, maman et nos voisins en étaient les victimes, mais c'est aussi à ce moment que Hans Schiller le SS, l'exterminateur, l'usurpateur, a fini sa vie, emportant avec lui son secret dans la tombe. Pour Rachel, justice n'était pas faite. Il en a porté le poids jusqu'à la fin et je le porte à mon tour.

Journal de Rachel

Istanbul, 9 mars 1996

Personne ne m'énerve plus qu'un Turc. Imbu de sa réputation de forte tête, il se croit obligé de le prouver. Il n'y a qu'à le voir marcher, on dirait bien qu'il va démolir des murs à coups de boule ou mater un bélier en rut. D'une manière générale, je fatigue avec ces peuples qui se veulent à la hauteur de leur réputation. L'Italien se montre exubérant et insiste alors qu'on ne lui demande rien, l'Espagnol s'oblige à monter sur ses ergots seulement parce qu'on lui demande des nouvelles de sa sœur, le Polonais s'en jette six de plus quand on lui crie stop, l'Arabe se cabre et tire le sabre alors qu'on le félicite pour sa sobriété légendaire, et que dire de l'Anglais qui se drape dans le flegme quand on lui signale que ses vêtements ont pris feu. Les Algériens dont je suis pour moitié me chagrinent avec leur façon de se poser en rois de l'hospitalité alors qu'ils ont fait de leur beau pays le plus inhospitalier du monde et de leur administration la plus repoussante qui soit sous le soleil de Satan. Quant à nous, les Français, n'en parlons pas, nous sommes tout à la fois. C'est notre côté universaliste, si je puis dire. À l'étranger, quand les malheureux disent Français, ils savent de quoi ils parlent, les compatriotes passés avant nous leur ont laissé de quoi se tenir longtemps la tête pour parvenir à cerner l'étendue de nos prétentions. On devrait dresser la carte des réputations nationales et l'offrir avec les guides touristiques, le routard modeste saurait où aller et quel sujet éviter. À ces peuples réputés, on devrait dire que ce n'est là que réputation, ils peuvent s'en libérer et vivre tranquilles. Point de renom, point de cinéma et va ta vie, voilà qui serait une règle à enseigner.

Enfin bref, de mon arrivée à l'aéroport jusqu'à l'hôtel du Bosphore, niché dans une ruelle pentue à l'ombre de la Grande Mosquée, tous les mamamouchis que j'ai croisés m'ont fait la tête. Pas un ne m'a dit « *Merhaba, Salam* », encore moins « *Günaydin* » ou « *Iyi günler* » ou « *Güle güle* », qu'ils se dispensent copieusement entre eux. J'inspirais la peur et le dégoût, c'est vrai, avec mon air cadavérique et mon regard halluciné. J'étais un mort, un mort qui en avait trop vu. Le policier de l'aéroport m'a regardé comme un trafiquant de drogue pris à son piège, un chauffeur de taxi a refusé de m'embarquer arguant que j'étais un malade dangereux et l'hôtelier a si longtemps hésité à me répondre que j'ai cru qu'il allait me saisir à la gorge et appeler le bachi-bouzouk.

Mais la vérité est ailleurs. Je les ai pris de haut, la Turquie était pour moi ce pays qui à sa manière, politiquement neutre, a cautionné l'Holocauste. Il a signé un traité d'amitié avec le Reich, était proche de l'Axe, il a offert une porte de sortie aux officiers nazis, il a dans sa propre histoire un génocide d'autant plus pénible à supporter qu'il a l'effroyable indécence de ne pas le reconnaître. Que ne prend-il exemple sur l'Allemagne, son crime est de loin le plus grand de tous les temps. Mais suis-je bien placé pour jeter la pierre, moi qui me demande jusqu'à la folie pourquoi mon père n'a pas assumé le sien ?

J'aimais bien la Turquie, c'est un beau pays, l'air est salubre. Mon ex-multinationale y a une usine de montage en partenariat avec un grand groupe turc. J'y venais souvent. J'en sais un bout sur leur cuisine. Et tous ces micmacs dont ils se délectent, assis qu'ils sont entre deux chaises, deux divans dirais-je, l'occidental et l'oriental, prenant de-ci de-là avec un air tellement mystérieux qu'on se doute qu'ils gagnent sur les deux tableaux. Je dois dire qu'ils m'énervent avec leur façon d'être laïcs le matin et ténébreux le soir alors qu'on est face à eux tout d'une pièce, transparent comme l'air. Demain, je prendrai l'avion pour Le Caire. L'air est moins salubre mais là-bas, pour ce que j'ai vu au cours de mes nombreux voyages d'affaires, les gens ont les deux pieds dans la même babouche.

De ma fenêtre, je regardais ce monde ambigu avec beaucoup de hochements de tête. À un moment, je ne sais pourquoi, parce que j'ai aperçu un jeune Européen suivre discrètement un vieil Ottoman en saroual effiloché, mais solide comme un cheval, et les ai vus s'engouffrer tous deux dans une venelle sombre, je suis instantanément entré dans la peau de papa. Je m'en suis fait une façon de mieux le connaître, j'entre dans ses pensées, je mets mon pas dans le sien et je vais le long de son terrible chemin. Je suis Hyde et Jekyll en même temps. Je me voyais, après une extraordinaire chevauchée à travers la Pologne, la Slovaquie, la Hongrie, la Roumanie et la péninsule balkanique en feu, plutôt de nuit que de jour, plutôt à travers champs et bois que par les villes, arriver en Bulgarie, quadrillée par les bolcheviks, et de là entrer secrètement à Istanbul, où j'étais pris en main par des passeurs turcs. Des rumeurs avaient circulé, elles étaient parvenues dans les stalags au moment où commençait la liquidation avant fermeture, marquée à Auschwitz par la terrible Nuit des Tziganes et dans tous les camps par le Massacre des *Sonderkommandos*, des tractations secrètes ont été menées entre la *Reichssicherheitshauptamt*, la sécurité militaire allemande, agissant pour le compte de la Wehrmacht, des Waffen SS et de la Gestapo, et les services secrets turcs, en vue d'un accord permettant aux filières d'évasion des officiers allemands d'utiliser le territoire turc comme plaque tournante, du moins tant que la confusion régnerait en Europe.

C'était la seule porte de sortie possible, les pays européens étant tous occupés par l'un ou par l'autre et la recherche des collabos et des criminels de guerre battait son plein. Beaucoup d'argent a été mis sur des comptes suisses turcs pour sauver l'élite de l'armée allemande. Plus tard, en 47, lorsque le réseau Odessa se mettra en place, d'autres routes seront ouvertes, par la Suisse, l'Italie et l'Autriche notamment. Le bricolage hâtif des premiers jours était fini, une ère nouvelle s'ouvrait, celle du business, on parlait de millions de dollars, de trésors cachés, de collections de tableaux uniques, de documents rarissimes, d'objets mythiques valant leur pesant de diamant, de dossiers ultra-secrets, on négociait avec des États, des organisations secrètes de premier plan, des émissaires prestigieux, on menait de formidables guerres souterraines, on réactivait des idéologies à forte charge explosive. Oublié le déporté et son drame sans queue ni tête, comme si déjà on était dans la prochaine guerre mondiale. La demande allait croissante, tous voulaient son allemand, son expert en fusée, en carburant solide, en armes chimiques et atomiques, en médecine et génie militaires, en organisation militaro-industrielle, en chiffrage et décryptage, en propagande, en œuvres d'art, en gestion des minorités. Qui n'a pas fait son marché à Odessa? Je me voyais, tel cet Européen furtif à la recherche de quelque aventure inavouable, enfiler les ruelles de la médina et disparaître dans un caravansérail douteux. Et là, j'attendais, comme je le fais dans ce modeste hôtel, passant mes journées à épier les alentours à travers un moucharabieh branlant, en hochant la tête. Je me voyais, sursautant au moindre bruit, écouter la BBC qui annonçait triomphalement la fin du monde, la fin de notre monde, le bombardement de nos villes, les unes après les autres, les troupes alliées et russes qui se disputaient le Reich et notre cher Berlin, l'arrestation de nos grands dignitaires, le suicide de notre Führer, la reddition par divisions entières de notre magnifique armée, la population affamée qui errait dans les rues dévastées. Je pensais à Uelzen et j'entendais mes vieux parents gémir sous les décombres. Je me voyais prostré, me tenant la tête, hésitant entre le suicide, la poursuite du combat et la fuite.

Puis un matin à l'aube, on est venu me dire que la voie était libre, que je devais me dépêcher et ne pas parler en allemand. On m'a habillé à la turque, remis de faux papiers, et peut-être transmis un message de mon lointain bienfaiteur, le fameux Jean 92, et poussé dans un camion datant de la Première Guerre mondiale. D'autres officiers allemands s'y trouvaient ? Pourquoi pas, sans doute, ils étaient des milliers à tenter de sauver leur peau. Malgré les cris et les menaces, j'ai refusé de me dessaisir de ma sacoche, elle contenait ce qu'un officier du Reich ne pouvait jamais abandonner, son livret militaire et ses décorations. Et puis la guerre n'était pas finie, elle pouvait prendre d'autres voies, celle de la résistance, de la clandestinité ; quand on planifie la victoire, on prévoit nécessairement la défaite, l'état-major avait sans aucun doute possible élaboré des plans pour affronter une telle hypothèse. C'est bien ce qu'avaient réussi les Français après leur déroute, et sans être les meilleurs stratèges du monde, ils avaient rebondi à partir de Londres et d'Alger. Le voyage fut long, pénible, entrecoupé d'alertes, et un jour on m'a soufflé à l'oreille que la frontière était de l'autre côté de l'horizon où m'attendait un guide syrien. L'Égypte était encore loin mais l'Orient était déjà là, avec son soleil, ses déserts, ses caravanes, ses pagailles et son incroyable bigarrure. Ce n'était pas là qu'on trouverait une aiguille dans une botte de foin. L'anonymat est garanti quand tous portent la djellaba et un keffieh sur la tête. L'Égypte était sous le contrôle de la Grande-Bretagne mais la situation y était si complexe, et la confusion si grande, que l'espoir était permis, tout était possible, on pouvait disparaître et reparaître à son aise. Le roi Farouk était pour ainsi dire fini et personne ne pouvait dire ce qui viendrait après. Il n'y avait que la rumeur, des bruits cosmopolites qui se neutralisaient, s'interpénétraient, se bousculaient dans une spirale informe. Les espions du monde entier étaient à demeure, déguisés en diplomates souriants, en archéologues soucieux, en négociants avides, en amoureux de l'islam, en touristes moutonniers, un œil sur les derricks et le canal de Suez, l'autre sur l'espion d'en face. C'est le Moyen-Orient, rien n'est clair depuis la nuit des temps. J'avais étudié tous les trajets possibles pour rejoindre l'Égypte et j'avais conclu que mon père avait emprunté la voie terrestre. La mer était le plus court chemin mais le plus périlleux, les marines américaine et anglaise étaient partout, en état d'alerte permanent, la guerre était finie mais les cendres ne s'étaient pas toutes éteintes, leurs bâtiments patrouillaient, arraisonnaient, contrôlaient, saisissaient, la Méditerranée était le cœur de plusieurs mondes, le carrefour de tous les trafics, opium, cigarettes américaines, alcool, armes, documents secrets, faux papiers, objets d'art, traites de toutes sortes, piraterie y compris contre les pèlerins d'Europe et du Maghreb à destination de La Mecque, de Nadjaf, Qom, Karbala, Jérusalem. Les Anglais étaient particulièrement remontés contre les Juifs, décidés à les empêcher par tous les moyens de rejoindre la Palestine où ils voulaient fonder un État en Galilée et dans le désert du Néguev, l'État d'Israël, ce qui aurait eu pour effet d'enrager les Arabes qui déjà se chamaillaient avec tout ce qui bouge, qui menaçaient, rêvaient d'indépendance, fricotaient avec le communisme, le socialisme, le panarabisme, le fondamentalisme, et cette chose ridicule, judéo-chrétienne en plus, qu'est la démocratie, et qui finalement ne réussirent ni l'un ni l'autre, étant trop divisés, trop riches pour leurs rêves, trop pauvres pour les réaliser, et pour conséquence, de les pousser dans les bras tentaculaires de Moscou. Comme souvent, le chemin le plus long est le moins dangereux. Je suis arrivé à la conclusion que mon père et ses guides sont passés par Adana, Dörtyol et Hassa en Turquie orientale, qu'ils sont entrés en Syrie par Afrin d'où ils ont rejoint Alep et Damas, puis Al Mafraq en Jordanie, et de là Amman et Ramm au sud du royaume. Il ne restait alors qu'à enjamber le golfe d'Akaba, prendre pied au Sinaï et le traverser à dos de chameau pour rejoindre Suez et Le Caire, la fin du voyage. Un voyage de plusieurs milliers de kilomètres sous le plus antique et le plus implacable des soleils.

Je suis sorti épuisé de ce voyage aussi long qu'ennuyeux à travers tous ces déserts d'Orient. J'ai pris une douche, je me suis jeté sur le lit et je me suis endormi.

Voyage de Rachel au Caire

10-13 avril 1996

Je suis souvent venu au Caire au temps où j'étais un commis-
voyageur de multinationale. J'adorais, j'y allais comme on va
à un rendez-vous avec le soleil et le rêve, pressé de me baigner
dans d'authentiques foules bigarrées, me laisser emporter par
cette atmosphère houleuse qu'on ne trouve que dans ces pays
du Sud qui marchent joyeusement sur la tête, telle l'Égypte,
accrochée mordicus au passé mais loin de son histoire multimil-
lénaire, ouverte sur le monde mais seulement par la petite
lucarne du tourisme, reposante mais uniquement dans ses
monuments funéraires. C'est ainsi, c'est le bizarre qui attire, le
conforme on le laisse derrière, chez soi. Ce pays est un miracle,
il ne tient que par son delta, donc ses maigres potagers et ses
vieux fellahs qu'on dirait tombés d'un bas-relief, ce qui est vraiment peu. Mais qui dit agriculture dit irrigation et chez nous,
dans notre multinationale, ça voulait dire pompes, vannes et
petites prestations à la clé, payables en dollars. Nous comprenions les choses de cette manière parce qu'il n'en est pas
d'autres, un marché a besoin de marchands. Nous en étions et
nous connaissions mieux qu'ils ne le sauraient jamais leurs
besoins, leurs faiblesses incommensurables et leurs drames
en forme de contes sans début ni fin. Ça s'appelle l'analyse de
marché, *the market analysis*, et ça produit une stratégie de
conquête, *a global marketing strategy*. Au feu vert des boss,

nous sommes tombés sur ce malheureux pays comme des vautours, comme une malédiction biblique. Le temps pour lui de lever la tête et de dire « Allah Akbar », il était équipé de pied en cap et endetté pour le restant de ses jours, il ne pouvait plus espérer voir l'eau de son fleuve mythique rejoindre sereinement sa vieille mer comme elle l'avait fait des millénaires durant, accompagnée par la lamentation lancinante des barreurs de boutres et le cri absurde des mouettes, et parfois, sous les auspices de certaines conjonctions, le babil gracieux d'un bébé joufflu gesticulant dans son berceau de jonc porté doucettement par le flot sacré. Elle était captée, détournée, retenue, barattée, filtrée, canalisée, pompée, fertilisée, utilisée à mort, et seulement après, rejetée dans le vieux Nil traumatisé qui l'emportait vers son terminus, sale et nauséeuse. Bref, c'en était fini des crues légendaires du Nil que l'on attendait comme on guette un geste des dieux et que l'on fêtait comme on célèbre l'an nouveau. Nous avons accompli cela, pour trente deniers et un bakchich de cinq pour cent : changer le cours d'une histoire antique comme le monde. Ils devront actualiser leurs hiéroglyphes.

Après le business, le bain de foule, la communion avec nos frères humains de la médina. À peine sortis des bureaux climatisés, nous courions les quartiers pauvres, des vrais comme seule la misère du Sud sait les imaginer. Ils tiennent par miracle, ils respirent par la bonté divine. On recherchait les rues les plus sinueuses, les ruelles les plus étroites, l'authentique pagaille des miraculés, le vrai déluge de couleurs, de bruits, d'odeurs, le sourire chaotique des pauvres, les *massakinn*, les boniments intarissables des boutiquiers qui ont cette façon archaïque et si soudaine de s'abandonner à la confiance qu'elle tromperait plus d'un escroc international, les envolées lyriques des traîne-savates, les assauts des meutes enfantines, les *Bounayes*, les *waleds*, les fausses algarades des voleurs de souks, les *sira-*

kinn, les jérémiades des chaouchs, des pleure-misère ventripo-
tents qui prospèrent comme tiques sur le malheur des innocents,
les jurons des charretiers, les appels au secours des mendiants,
les *toulabs*, tellement pathétiques que personne ne les entend,
les déclamations oniriques des écrivains publics dont les
oreilles sont si pleines de confidences qu'un charbonnier per-
drait la foi à seulement en approcher le nez, et derrière ça,
attentifs comme des aigles, nous recherchions le regard de
l'Égyptienne en tunique adhésive et pompons multicolores sur
le front. Si les époux sont dans les parages, à leur recherche,
c'est pure perte, ils ne sont pas de taille à les dominer quoi
qu'en disent leur regard fulminant et les sifflements de leur
canne. Elles ont plus d'une malice sous la main pour perdre ces
assassins en puissance. Et les voilà, comme sorties d'un rêve
clandestin, la coquinerie faite démones, glissant d'un pas
chaloupé, les bras en éventail, le sein opulent, le sourire mutin,
et entre le nez et le front : deux yeux magiques. C'était cela
que nous cherchions à travers elles : le regard vivant du
Sphinx dardant au-delà de l'Au-delà. C'est furtif et ensorcelant
comme l'immortalité au jour le jour, un éclair après l'autre, et
bien plus alarmant qu'une malédiction de pharaon fût-il Tou-
tankhamon. En chacune, nous voyions une Cléopâtre ressusci-
tée, une *malika* digne des califes, une houri chère à Allah, une
princesse des Mille et Une Nuits, une sirène merveilleuse surgie
de l'univers troublant des djinns. Entre nous qui avions beaucoup voyagé et vu, on se disait que rien sur terre n'incitait plus
à la nonchalance que le regard miroitant d'une Égyptienne,
nourri au khôl, éclairé par le plus vieux mystère du monde.

Le pèlerinage accompli, et le petit scarabée d'ébène ou la
petite momie d'argile pour Ophélie en bagage, c'était le retour
dans la tristesse en nos pays lointains, terrorisés par la perspective de renouer avec l'implacable réalité du monde
moderne.

Mais tout ça, c'est des souvenirs d'une époque révolue, studieuse et insouciante. Me voilà happé par le passé, plongé dans la terrible guerre, écrasé par le plus grand drame de tous les temps, de surcroît torturé par mon propre père. Je ne peux plus dès lors regarder l'Égypte comme on rêve devant une carte postale. Mon père y est arrivé avec ses crimes dans la malle et a, semble-t-il, réussi à prendre du bon temps, à se faire une virginité, à se dégotter une place parmi les barbouzes égyptiennes. C'est cela que je dois voir : comment, sortant de l'enfer que l'on a édifié de ses mains, de cette vie intensément lugubre des camps, on vit dans un paradis mirobolant où le soleil est roi, l'humilité reine, la misère gentiment pagailleuse, le narguilé et le thé brûlant à portée de main, le nombril des danseuses à hauteur des yeux, le lit ouvert aux étoiles ? À quoi pense-t-on, quels regrets nourrit-on, quel plaisir peut-il faire oublier la douleur que l'on a dispensée si abondamment dans une atmosphère aussi dense, aussi noire, en un ballet mécanique ritualisé jusqu'à l'absurde, pris dans une folie sans fin et un quotidien qui se réduit au néant, à entendre l'agonie filtrer des murs et à contempler des fumées noires s'élever dans le ciel ? L'homme est assez perfide pour tout se pardonner, je l'entends bien, mais cette hauteur dans l'infâme, aucune compassion, aucune griserie, aucun apitoiement sur soi-même ne peut l'atteindre. Ou alors, cet homme n'est pas un homme, pas même un sous-produit, il est le diable en personne. *Mon Dieu, qui me dira qui est mon père ?*

On ne tarde guère à le constater, pour peu qu'on ouvre les yeux, la vieille Égypte, l'Égypte heureuse, l'Égypte cosmopolite, chahuteuse et romantique de Nadgib Mahfuz, n'existe plus. L'Égypte moderne, *Misr*, est écrasée par deux géants imposants comme les grandes pyramides : la Police et la Religion. À l'homme libre, il ne reste pas un centimètre carré où poser le pied. S'il n'est sifflé par le flic, le *chorti*, il l'est par le fanatique, le *Irhabi*. Police du Raïs et religion d'Allah se sont donné la main pour rendre la vie impitoyable pour tous et chacun ici-bas. Agonie et déshonneur sont les deux rails de ce triste sort. Je n'aurais pas cru que dans ces pays brisés par la foi et le bâton, les choses aillent aussi vite. Ma dernière visite au Caire remonte à deux années, on lui avait livré notre toute dernière méga pompe, la H56, H pour horizontale et 56 pour le diamètre de sortie exprimé en pouces, et pour ce que j'en ai vu, chaperonnés par nos guides officiels, précédés en éclaireurs par des *chortis* prévenants, la pression était gentiment poétique, on pouvait être tenté de se convertir et chanter son bonheur à tue-tête. Nos accompagnateurs étaient instruits pour nous abuser, nous le savions, mais là, il sautait aux yeux que plusieurs tours de garrot ont été donnés dans le mauvais sens. Ce ne sont pas des hommes qui errent dans les rues, mais des suppliciés qui cherchent un refuge pour la nuit, loin du commissariat et de la mosquée. Ce pays est invivable, il n'est pas fait pour les hommes, ni pour les saints, et toutes les cartes postales du monde n'y changeront rien. Je plains l'Égyptien qui n'est ni policier ni fanatique.

C'est très inquiet que j'ai tourné en ville. Je me surveillais. Pas un geste déplacé, pas un regard perdu, pas une mauvaise pensée. Je suis passé devant le ministère de l'Intérieur et le siège des Moukhabarates. Mon père a fréquenté ces lieux en son temps, on lui a confectionné des papiers, on l'a astreint à certaines obligations en paiement de l'hospitalité du roi, que plus tard Nasser reprendra à son compte. Qu'a-t-on pu lui demander sinon l'infiltration des milieux européens du Caire, le décryptage de documents secrets acquis au marché noir, la mise au point de quelque gaz de combat, et plus tard la fourniture d'une expertise aux révolutionnaires algériens installés dans un immeuble discret du centre ? J'ai vite remarqué que j'étais repéré, des chaouchs manœuvraient en crabe, de vieux clous normalement increvables simulaient la panne, des *choufs* épluchaient le journal dans le sens du vent. Je me suis esbigné à temps. Les choses ont changé depuis 45, les rideaux des fenêtres, les voitures officielles, le costume des clercs, la jérémiade des plantons, le cri des sirènes, mais l'ambiance est la même. Hans Schiller le SS était à son affaire, dans son élément. Puis je me suis souvenu que l'Égypte n'est jamais sortie de la guerre, si elle ne la faisait pas, on la lui faisait. Une litanie : la guerre contre les Mameluks, les Turcs, le roi, les guerres avec les Anglais et les Français, la guerre à l'impérialisme américain, les guerres avec Israël, la guerre contre le terrorisme islamiste, la guerre aux coptes, la guerre aux mécréants, la guerre contre le Grand Satan, et la pire de toutes : la guerre contre le peuple. Toutes les guerres étant menées, ce qui est un avantage précieux, il lui reste une chose à faire, la paix avec elle-même, pour retrouver son bonheur d'antan, celui de la grande Égypte, paisible et éternelle.

J'ai rebroussé chemin, je suis allé me mêler aux touristes. Ils ne savent rien, ils ne se doutent de rien, ils s'en fichent, de l'histoire comme du reste, ils sont là pour le soleil et la photo souvenir. Ils sont reposants. Et combien prétentieux, a-t-on idée de se filmer à côté de la grande pyramide, comme si elle était une vieille connaissance, une amie! Elle est éternelle, et eux, combien ont-ils vécu d'années et combien leur en reste-t-il avant de disparaître sous terre! Pourquoi le touriste, hors de son pays, oublie-t-il qu'il est un être humain, un mortel, je me le demande. Photo souvenir, ai-je dit. J'en avais une dans la poche qui m'interpelle, celle de papa à l'ombre de la pyramide de Chéops, trouvée dans sa valise, en notre maison de Aïn Deb, un soir de solitude unique. Et me voilà reparti dans mes fièvres, à fouiller le mal, à dévisager papa habillé en gentleman de la Belle Époque, posant devant un groupe de ladies au pied de la pyramide. Il fallait un peu d'insouciance et quelques moyens financiers pour sacrifier au tourisme, en ce temps, c'était une occupation de riches habitués aux croisières, rompus à la villégiature. Je ne sais de quand date la prise, probablement de l'époque du roi Farouk, entre 45, quand papa est arrivé en Égypte, et 52, quand le monarque a été renversé par le général Néguib. En y réfléchissant, je dirais entre 46 et 47. L'été 46 ou l'été 47. En 48, la situation était à ce point tendue dans le Moyen-Orient, suite au conflit armé en Palestine, que le tourisme en Égypte s'est éteint pour plusieurs années. La présence des ladies et leurs toilettes font penser à des manières de vivre qui sont celles de la royauté. Je ne crois pas que papa se serait habillé de cette manière de dandy, en costume et chapeau blancs, sous le régime des colonels, Nasser s'était donné l'austérité révolutionnaire pour vertu et entendait l'imposer à tous. J'imagine la vie en ces temps monarchiques, les réceptions fastueuses dans les missions diplomatiques, les bateaux palaces et les grandes demeures des pachas et vizirs, les promenades à cheval dans les vastes domaines des effendis, les visites savantes dans le fabuleux musée du Caire, les croisières nonchalantes sur le Nil, d'un site archéologique à l'autre, de l'embouchure à Karnak et Assouan, les évasions salutaires de ces messieurs dans les petits hammams thaïlandais, les harems clandestins et les fumeries des catacombes. Personne n'a mieux rendu cette atmosphère légère, raffinée, cynique et tendue qu'Agatha Christie, la reine du crime civilisé. Papa a mené grande vie, il était instruit, parlait plusieurs langues, possédait une grande culture à l'instar de beaucoup d'officiers allemands, il était beau, élégant, et par-dessus tout, il avait une immense expérience de la mort, qui donne au cynisme comploteur requis dans les grands salons une vraie profondeur, tragique, impitoyable, fascinante.

Il a dû bien briller auprès de ces dames et de leurs puissants protecteurs, ce qui a facilité son travail d'espion au service du roi et pourquoi pas d'autres puissances. Je pense aux Soviétiques qui certainement ont décelé son passé nazi et lui ont mis entre les mains un marché qu'il ne pouvait refuser. Israël n'est pas loin, on pouvait lui expédier une malle pleine de cendres juives et tracer une étoile jaune sur la porte de Hans Schiller, le SS.

Et puisque j'avais enfourché les pensées de papa et mis mon pas dans le sien, je vais comme lui me donner du bon temps. On verra ce qu'il en sortira. Il ne me reste plus beaucoup d'argent mais l'Égypte est dans la misère, mes derniers dollars, échangés au souk, m'offriront bien assez de ces petits plaisirs fades dont se nourrit le touriste avaricieux. J'ai rejoint la foule des touristes d'agence et, tous bien émoustillés ainsi que l'exigeait notre cher guide, nous avons couru Le Caire *by day* et *by night*, traversé le musée, dérangé des habitudes, pillé des souks, pissé dans le Nil, arpenté les grands boulevards et nous nous sommes bruyamment attablés dans ces cafés mythiques qui ont fait sa renommée naguère, au temps du grand cinéma égyptien, des immenses divas et des fabuleuses expéditions archéologiques internationales. Le lustre n'est plus mais à la guerre comme à la guerre, on s'accommode de la misère si on ne fait que surfer sur elle, nous avons bu du thé poisseux plutôt que du champagne, emprunté des bus désarticulés plutôt que des calèches et des limousines, beaucoup cheminé sous le soleil aride plutôt qu'à l'ombre des ombrelles des porteurs, et commenté avec assurance les mystères cyclopéens des pharaons. Puis nous nous sommes rendus à Gizeh et comme chacun je me suis dit que je me tirerais bien une photo au pied de la grande pyramide. Mais je la voulais un peu spéciale : en compagnie de vieilles ladies. J'ai cherché dans les parages et j'ai déniché un groupe comme je l'imaginais, des Anglaises bien roses, dodues à point, les bras nus, et, miracle, parmi elles une anguleuse comme un silex, couverte d'un châle épineux, une sosie de la terrible Victoria. Il me restait à obtenir leur coopération pour réussir mon plan. Ces vieilles chattes se sont aussitôt léché les babines. J'ai emprunté un panama à un touriste hollandais admiratif, j'ai requis un photographe professionnel, j'ai placé mes ladies comme à la scène, je leur ai souri du coin de l'œil et j'ai crié au machiniste : « *Maestro*, à vous de jouer ! » Cinq minutes plus tard, j'avais mon épreuve. Une réplique exacte de l'originale, si on veut bien oublier mes airs de déporté. Au dos, j'ai écrit : « Helmut Schiller, fils de Hans Schiller. Gizeh, 11 avril 1996. » Un demi-siècle les sépare ; et quelques millions de morts partis en fumée.

Pour terminer, je me suis félicité : je n'avais reculé devant rien pour aller au fond des choses. Je n'avais plus rien à faire au Caire. Ni ailleurs. Je rentre à Paris, j'ai un rendez-vous que je ne peux manquer. Arrivé où je suis, ce ne peut être que la fin. C'est le 24 avril que mes parents sont morts, c'est ce jour que Hans Schiller a échappé une fois pour toutes à la justice des hommes. Or elle est nécessaire pour que l'homme que je suis continue de croire, pour le temps qui lui reste à vivre, que quelque part il y a un atome de bien en nous. Celle de Dieu ne m'intéresse pas, je n'y songe pas. Elle a failli ici-bas, comment réussirait-elle là-haut ? Je ferai justice moi-même, je suis mieux placé que lui.

Journal de Malrich

Janvier 1997

Inutile de le dire, sortir d'Algérie n'est pas une partie de plaisir. Mon Dieu que ce fut long, ces papiers, ces *Ausweis*, ces contrôles, ces attentes, ces chicanes, on dirait qu'ils ne rêvent que de ça, les *Bonzen* d'Alger, torturer les gens. Une vraie Gestapo. J'avais les nerfs en feu, et tellement peur d'être embarqué. Lorsque, à un moment, alors que nous venions de passer le dernier filtre, un gradé en vareuse bleue est venu sur nous pour dire : Toi... toi... toi et toi, suivez-moi ! j'ai cru que c'était la fin. Ouf, ce n'était rien, il avait besoin de quatre jeunes costauds pour décharger une grosse caisse d'un camion et la porter dans un cagibi du sous-sol. Je ne le crois pas encore, il nous a dit merci et il nous a offert une cigarette chacun. C'est lorsque l'avion a décollé et franchi le point de non-retour que j'ai commencé à respirer. Je me suis aussitôt endormi. Je devais réparer mes forces pour affronter la cité. J'appréhendais, j'avais un mauvais pressentiment. Je m'attendais à des bouleversements extraordinaires et de fait, entre Orly et la cité, les copains, venus m'accueillir en héros, m'en ont raconté assez pour me convaincre qu'elle était méconnaissable. Entre ce qu'on attend et ce qu'on trouve, il y a de quoi relativiser. La cité était la cité, identique et fidèle à elle-même. La différence est dans la sensation, je croyais être parti depuis longtemps et là, devant ces murs de toujours, je me voyais comme si je n'étais allé nulle part. Le temps ne court pas à la même vitesse selon que l'on est dans le train ou sur le quai. J'étais troublé. Je n'avais pas l'expérience des voyages lointains et des malaises qu'occasionne la relativité. Huit jours, c'est long et c'est court. En Algérie, j'avais l'impression d'avoir passé une année entière tant chaque seconde fut lourde de sens pour moi, et de retour en France, je me trouve, face à ces tours, avec l'impression de m'être absenté quelques petites heures au plus. Et alors que les copains qui n'ont pas bougé d'un centimètre étaient persuadés qu'un siècle plein était passé sur eux, moi, je les voyais tels que je les avais laissés tantôt.

Très vite, le temps d'accomplir le tour du propriétaire, de grimper donner la bise à tata Sakina et à tonton Ali dans son nuage, et de nous retrouver à la cafèt' de la gare, tout est rentré dans l'ordre, j'étais synchrone, suffoqué comme eux par l'atmosphère lourde de la cité en prise avec son islamisme conquérant. Un point de situation s'imposait. Une analyse objective, si possible. Il ressort que la régression a été son train habituel, cahin-caha, avec un plus de puissance et de nervosité depuis l'installation de l'émir Flicha et de l'imam Le Borgne. L'indice de violence s'est accru de plusieurs points mais ce n'est pas la guerre civile; des blessés mais point de morts; des menaces de mort à la pelle mais aucune n'a été mise à exécution; si pour le commerçant musulman l'impôt du djihad a grimpé, le racket a chuté; pour les non-musulmans, la confusion est totale, ils jurent n'avoir plus assez de deux poches pour répondre à la demande, ils menacent de délocaliser, de marcher sur le fisc, d'occuper le commissariat; des garçons ont quitté l'école pour la mosquée, des filles ont pris le voile, certaines se sont cloîtrées, des hommes épuisés par les prêches au corps se sont mis un bonnet sur la tête et un keffieh sur les épaules et ont commencé à sermonner à leur tour, les derniers piliers de bar se sont adroitement mis au chapelet, les dealers de la porte sud ont disparu mais rien ne dit qu'ils sont morts, ils ont émigré peut-être, ils se cachent, ils vont revenir. Dans l'ensemble, la structure sociale a évolué sans rupture criante. Trente déménagements ont été déplorés dans la semaine mais ils ont été compensés par trente arrivées, des Maghrébins, un Malien, un Pakistanais, un Somalien, un Soudanais, un Cap-Verdien, un Roumain. La population est restée stable en volume mais son éventail ethnique et confessionnel s'est quelque peu resserré. De nouveaux kapos sont apparus, plus aguerris, en remplacement des anciens, démobilisés pour cause de laxisme et de copinage. Et Com'Dad? ai-je demandé. On ne comprend pas sa stratégie, il maintient le niveau de vigilance 4, il attend de voir. Il fait quand même son marathon quotidien deux fois plus vite que d'habitude. Et les gens? Ben quoi, ils attendent de voir.

C'était peu mais ça m'a coupé les bras. Comment arrêter le train? Vu de Aïn Deb, tout me paraissait simple, je voyais la cité s'extirper de son cauchemar en un rien de temps, je me disais qu'il suffisait que les gens se parlent et disent tout aux enfants. Pris par l'émotion, je me voyais surmonter ma timidité, grimper sur le toit d'une bagnole et leur parler de fraternité, de vérité, de moissons à venir. Et voilà que ce sont les émissaires de l'imam Le Borgne qui sont venus me parler. Celui-ci a appris par ses espions que mes parents ont été assassinés par les islamistes et que je me suis rendu au bled me recueillir sur leurs tombes, il tenait à me bénir et à me révéler ce qui s'est réellement passé. Je n'ai pas hésité, j'ai dit que j'irais l'entendre. Il m'offrait l'occasion de le tuer à la place de ses amis d'Algérie, je n'allais pas la rater. Quand rien n'est possible, la vengeance est le recours. Que dis-je, un devoir.

Je me suis rendu dans le quartier des pavillons. Les copains m'ont appris que la maison de Rachel avait trouvé preneur. Ça fait mal de voir son foyer occupé par des étrangers. Je me suis approché les mains dans le dos comme un promeneur du dimanche. Officiellement, je n'avais plus de raisons de traîner dans le coin. Le pavillon était éclairé de haut en bas. Des rideaux aux fenêtres, un chien qui aboie, une télé qui chante, une chignole qui siffle, des coups de marteau, des rires d'enfants. Dans le garage, grand ouvert, des cartons, des meubles. Les nouveaux emménageaient, ils étaient en train d'effacer nos traces et d'imprimer les leurs. Ça fait mal de se voir décaper comme ça. Savent-ils qu'il y a eu suicide dans la maison ? Je ne crois pas, les agents immobiliers ne gagnent rien à dire la vérité aux clients. S'ils bricolent aussi bruyamment, c'est qu'ils sont heureux, donc ignorants. Ils sauront quand ils seront installés et que les voisins commenceront à venir aux nouvelles. Ils apprendront à la suite que les parents de l'ancien occupant ont été égorgés dans leur village en Algérie. Il y a de quoi s'affoler. J'espère qu'ils le prendront bien, Rachel était un type formidable, le meilleur des citoyens, il n'a jamais manqué à personne, son fantôme ne fera pas de mal à une mouche. Mais je comprends que le moral s'en ressente, le pavillon, comme notre maison à Aïn Deb, renferme un terrible secret sur le plus grand crime de tous les temps, à la longue il y a quelque chose qui sourd des murs, qui prend aux tripes, pourrit la tête, rend fou, consume à petit feu. Rachel en est mort et tous ceux qui approcheront le mystère en mourront. Durant mon séjour dans le pavillon, pas un instant je n'ai cessé de m'interroger, de me lamenter, de trembler, de paniquer, et plus je me débattais, plus je voyais de fantômes se dresser à l'horizon et venir me fixer de leurs yeux crevés. Quand je m'enfuyais dans la nuit, leurs râles me poursuivaient jusqu'à ce que la lumière du jour vienne assécher mes larmes.

Je me suis rendu au cimetière comme je me l'étais promis au village. Je me suis assis sur la tombe de Rachel et je lui ai longuement parlé. J'étais sûr qu'il m'entendait. Je lui ai dit : Salut, frérot, tu ne le sais pas, je reviens de Aïn Deb. Je me suis décidé grâce à Ophélie, c'est elle qui m'a donné l'argent du voyage. Elle m'a dit : Rachel sera content de voir que tu t'intéresses aux tiens. Tu vois, je ne suis pas si désespérant et je m'améliore à pas de géant. Tout va bien là-bas, à part le climat mais c'est l'hiver, il est normal qu'il pleuve et que le vent soit un peu cinglant. Les gens sont adorables, ils se sont bien occupés de moi, surtout Mimed le fils du cordonnier. Tu ne l'as pas connu, il est né après ton départ en France. Tu te souviens peut-être, quand tu es venu au village pour m'emmener ici, il pleurait comme un dingue de me voir partir, il s'en est pris à toi, il t'a engueulé. Aujourd'hui c'est un beau jeune homme qui a plein de gentils bébés.

Je ne leur ai pas dit que tu avais mis fin à tes jours, ils étaient tellement pressés d'avoir de tes nouvelles que je n'ai pas su les arrêter. J'ai fait pareil que toi, je me suis recueilli sur la tombe des parents. Ça m'a plu de voir dans quelle tranquillité ils reposent. Ton cimetière n'est pas mal non plus, c'est beau, c'est calme, c'est plein de fleurs, il y a des gens qui passent, des oiseaux qui chantent, des amoureux qui se parlent à l'oreille. T'es comme un roi, veinard!... Je voulais aussi te dire que j'ai lu ton journal. Com'Dad me l'a remis après ton... son enquête. Il m'a dit : Ton frère est un type formidable. Il ne m'apprenait rien, je le sais depuis toujours. Quelle affaire que l'histoire de notre père et quel drame pour nous. On s'en serait bien passé, n'est-ce pas, tu serais là avec nous, avec Ophélie, ce serait formidable. Je t'ai trouvé trop sévère avec lui mais quand j'ai bien réfléchi je me suis dit que tu avais raison. Ce que j'ai lu dans ton journal et ce que j'ai appris par tes livres m'ont donné froid dans le dos. J'en ai pris un coup de vieux. Est-ce que des choses comme ça peuvent se reproduire ? Je me dis que c'est impossible mais quand je vois ce que les islamistes font chez nous et ailleurs, je me dis qu'ils dépasseront les nazis si un jour ils ont le pouvoir. Ils sont trop pleins de haine et de prétention pour se contenter de nous gazer. Je me demande ce qu'on peut faire pour l'empêcher, les gens ne disent rien et la police observe de loin. Avec les copains, on résiste comme on peut mais qui sommes-nous, les jeunes, les gens se méfient plus de nous que des islamistes. Je voulais aussi te dire que j'ai décidé de publier ton journal et le mien, j'espère que tu es d'accord et que je trouverais un éditeur. À mon avis, la vérité est la vérité, elle doit être sue. Comme le dit ton poète Primo Levi, il faut tout dire aux enfants. Avec les copains, je pense créer un club pour leur apprendre ce qu'on leur cache, ils doivent savoir, ce sont eux qui héritent des parents, le bien comme le mal. Avec ta permission, je demanderai à ton ancienne prof, Mme Dominique G.H., de nous arranger ça comme un vrai livre. Elle t'aimait bien, elle ne refusera pas. Voilà ce que je voulais te dire, mon cher frère. Les copains te saluent ainsi que tata Sakina. Le pauvre tonton Ali, tu le sais, n'a plus sa tête. Je t'aime et je te dois beaucoup. Je reviendrai te voir, repose-toi en attendant.

Jamais, nous n'avons été aussi proches.

Puis je suis allé visiter l'imam dans sa cave. Ils l'ont transformée en bunker, porte blindée, soupirail grillagé, et ont installé un mur de kapos autour. Ils m'ont fouillé au corps et mené à lui comme un prisonnier de guerre. Le voilà donc, le maudit borgne, en chair et en os, la cinquantaine toute blanche, une gandoura verte, un blouson noir, une barbe qui lui arrive au nombril et un œil très perçant. Il était assis en tailleur, dos contre le mur. Devant lui, sur une table basse, ses instruments de travail, le Coran, une pile de fatwas vierges, un cachet humide et un téléphone fax. À côté, l'émir Flicha, un jeune barbu taillé dans la masse. Il portait un pétard sous le blouson. La crosse dépassait exprès, pour inciter les visiteurs à bien réfléchir. L'imam m'a dit :

— Approche, mon fils, approche, assieds-toi en face de moi. Tu connais le moudjahid Si Omar que les jeunes ignorants de la cité appellent Flicha. Parle, dis-moi comment tu vas et comment tu as trouvé notre Algérie, cette terre d'islam qui souffre le martyre avec ce gouvernement impie.

Je lui ai dit :

— Qu'est-ce que tu me veux ?

— Ton bien, mon fils, ton bien, et celui de notre sainte religion. Quand j'ai appris que tes parents ont été sauvagement assassinés, j'ai eu de la peine, crois-moi. Je me suis aussitôt renseigné auprès de nos frères d'Algérie qui se battent pour Allah et sa religion.

— Je ne t'ai rien demandé.

— Je l'ai fait pour Allah et la vérité, c'est mon devoir de musulman et d'imam. Il faut que tu le saches, tes parents ont été assassinés par le gouvernement et non par les combattants d'Allah. C'est son habitude de tuer des innocents et de nous mettre ses crimes sur le dos.

— Eux, vous, quelle différence.

— Non, ce n'est pas pareil. Si c'était nos valeureux combattants, je te le dirais que ça te plaise ou pas, notre djihad nous le revendiquons à la face du monde. C'est eux les coupables, tu dois venger tes parents, le talion est une recommandation pressante d'Allah.

— Je n'ai pas besoin de vous, ni de personne.

— C'est bien d'être fier mais maintenant tu as besoin de l'islam pour affermir ton cœur et ton bras.

— Je n'ai besoin de rien.

— C'est impie ce que tu dis mais tu réfléchiras et tu nous rejoindras, nous t'apporterons le réconfort moral et nous t'aiderons matériellement ainsi que tes parents d'adoption et nous trouverons une occupation à tes amis qui traînent toute la journée au mépris des lois.

— Je crois que tu n'entends pas, l'imam, je n'ai pas besoin de vous !

— La peine et la colère t'ont brouillé l'esprit, mais va, Si Omar est là, il veillera sur toi, il te guidera...

— C'est une menace ?

— Il n'y a qu'Allah qui punit, mon fils, nous ne sommes que des instruments entre ses mains.

J'allais me lever et partir puis je me suis ravisé.

— Dis-moi, l'imam, si on avait le pouvoir sur terre, par quel génocide on commencerait ?

— Que signifie cette question ?

— J'ai lu qu'il y a eu beaucoup de génocides dans l'histoire, quels seraient les nôtres ?

— Tu lis de mauvais livres, c'est mal. Nous avons les nôtres, tu verras, ils te diront qu'il n'y a jamais eu de génocides que contre les musulmans.

— Raison de plus, quels seraient les nôtres pour rétablir la balance ?

— L'islam apporte la paix, mon fils, pas la guerre. Lorsque nous serons au pouvoir, les gens seront heureux de se convertir à l'islam.

— Et ceux qui refusent ?

— Celui qui refuse Allah, Allah le refusera, il n'y a pas de place pour lui sur terre et dans son paradis.

— On les tuera ?

— Allah décidera de leur sort.

— Mais il les refuse !

— Il les châtiera sans regret.

— Il nous demandera de les tuer jusqu'au dernier ?

— Nous ferons ce qu'il nous ordonnera de faire.

— Voilà, c'est ça le problème pour moi : comment tuer six milliards de refuzniks dans un délai raisonnable, avant qu'ils ne se réveillent et ne se révoltent ?

— Mon fils, tu déraisonnes !

— Tu es l'imam et, en tant que fidèle, j'ai le droit de te poser toutes les questions que je veux.

— Certes, mais je t'ai répondu, quand Allah nous donnera le pouvoir il nous dira ce que nous devrons faire et comment le faire, je te l'ai dit, nous sommes les instruments de sa volonté.

— Est-ce qu'on peut suggérer des solutions ?

— Pas à Allah !

— À ses représentants qui transmettront.

— Je t'écoute.

— Je vois ça comme ça, on pourrait les rassembler dans des camps électrifiés et gazer aussitôt les inutiles. Les autres, on les trie par métier et par sexe et on les met au travail jusqu'à ce qu'ils tombent en poussière. Celui qui rechigne, on le gaze. Qu'en penses-tu, l'imam ?

— Je pense que tu rêves.

— Je ne rêve pas, c'est arrivé.

— Ce sont des méthodes barbares, Allah ordonne de tuer les infidèles selon le rite musulman.

— L'imam, tu ne me réponds pas, carboniser une fille comme Nadia ou égorger quarante villageois dans un trou comme Aïn Deb et tuer six milliards d'infidèles n'est pas le même problème. Le bricolage n'est pas l'industrie. Quand tu sauras, fais-moi signe, je reviendrai te voir. Le Salam sur toi.

— Allah te maudisse, fils de chien !

— Je te pisse dessus, l'imam, et toi aussi, l'émir ! Vous voulez l'extermination, vous allez l'avoir ! Les copains et moi, on ne demande qu'à bouffer du nazi et du barbu et on invitera à la fête tous les jeunes de la cité.

— Tu l'auras cherché !

— Et toi, tu m'as trouvé !

Maintenant que la guerre est déclarée, je vais faire le plus difficile : tout dire aux copains. Ils m'en voudront, ils me rejetteront, ils deviendront fous, mais la vérité est la vérité, elle doit être sue. Je procéderai par étapes, j'ai trop souffert de tout apprendre d'un coup. Je leur dirai qui était mon père et ce qu'il a fait et plus tard, quand ils seront prêts, je leur dirai tout sur l'incroyable machine d'extermination nazie, je leur prêterai mes livres. Je leur dirai que papa ne nous a rien dit et que Rachel en est mort. Et s'ils me posent la question : Et toi, que feras-tu ? Je leur répondrai : Dire la vérité, partout dans le monde. Après, on verra.

Journal de Malrich

Février 1997

C'est en août 1995, il y a plus de seize mois, que Rachel a écrit au ministre algérien des Affaires étrangères et toujours pas de réponse. En tout cas, pas tant que j'occupais le pavillon et nulle part dans les papiers de Rachel je n'ai trouvé trace d'un tel courrier. Comme lui, la manipulation de l'identité de nos parents n'a pas cessé de me turlupiner. Avec ce que je sais maintenant, c'est pour moi comme s'ils avaient été enterrés avec un matricule gravé dans l'avant-bras. J'avais envisagé de passer demander aux nouveaux occupants du pavillon si ce courrier était arrivé entre-temps puis je me suis dit que si un ministre ne répond pas dans les seize premiers mois, il y a peu de chances qu'il réponde au dix-septième. La lettre s'est égarée, me suis-je dit, dans ce pays tout finit chez la police, mais je refuse de croire que le courrier ministériel est traité chez eux de la même manière que les lettres des pauvres ; il est acheminé par motard et avion spécial. Je me suis senti tenu par la démarche de Rachel, j'ai envoyé une lettre de relance. À toutes fins utiles, comme on écrit à la police. Et tant qu'à faire, j'ai écrit à notre ministre de l'Intérieur à propos de la cité et de ce qui s'y passe. Ça ne sert à rien, mais comme dit

Rachel : ce qui doit être fait, il faut le faire. Voici la copie de mes lettres :

Monsieur le ministre des Affaires étrangères de la République algérienne démocratique et populaire,
Le 16 août 1995, mon frère Rachid Helmut Schiller vous a adressé une lettre recommandée par laquelle il vous priait de rétablir dans leur identité officielle nos parents, assassinés le 24 avril 1994 par un groupe armé non identifié et enterrés par les services de la mairie sous une identité périmée pour ma mère et sous pseudo pour mon père. Vous ne l'avez pas fait et vous n'avez pas daigné lui répondre. Aujourd'hui mon frère est mort et moi, le dernier des Schiller, je me permets de venir vous relancer. Mon petit doigt me dit qu'on ne vous relance pas si facilement mais ce n'est pas une raison pour moi de ne pas tenter l'impossible. Rassurez-vous, Monsieur le Ministre, après moi, personne ne viendra plus vous déranger. Je ne vous le souhaite pas mais si un jour on vient vous annoncer que vos parents ont été assassinés par des inconnus et qu'on les a enterrés sous X, alors vous comprendrez notre peine. Pour le moment, vous êtes du bon côté du fusil, il ne vous importe pas de savoir qui est mort, qui a disparu et qui souffre en silence.

Veuillez agréer, Monsieur le Ministre, l'expression de ma honte d'être pour moitié un de vos compatriotes.

Ma deuxième lettre dit ceci :

Monsieur le Ministre de l'Intérieur,
Si quelqu'un dans ce pays sait ce qui se passe dans notre ZUS, c'est vous. Notre commissaire, M. Daddy, vous écrit

sûrement et plus souvent qu'il ne devrait car il est très engagé,
il vit avec nous, il se démène et nous savons qu'il souffre de
ne rien pouvoir faire de plus. C'est un légaliste, voilà son pro-
blème. Les islamistes ont colonisé notre cité et nous mènent
la vie dure. Ce n'est pas un camp d'extermination mais c'est
déjà un camp de concentration, ein Konzentrationlager
comme on disait sous le Troisième Reich. Peu à peu, nous
oublions que nous vivons en France, à une demi-heure de
Paris, sa capitale, et nous découvrons que les valeurs qu'elle
proclame à la face du monde n'ont en réalité cours que dans
le discours officiel. N'empêche et malgré toutes nos tares, nous
y croyons plus que jamais. Tout ce que nous nous interdisons
en tant qu'hommes et citoyens français, les islamistes se le
permettent et nous refusent le droit de nous plaindre car,
disent-ils, c'est Allah qui l'exige et Allah est au-dessus de
tout. À ce train, et parce que nos parents sont trop pieux
pour ouvrir les yeux et nos gamins trop naïfs pour voir plus
loin que le bout de leur nez, la cité sera bientôt une république
islamique parfaitement constituée. Vous devrez alors lui faire
la guerre si vous voulez seulement la contenir dans ses fron-
tières actuelles. Sachez que nous ne vous suivrons pas dans
cette guerre, nous émigrerons en masse ou nous nous battrons
pour notre propre indépendance.

Je n'attends pas grand-chose de vous, je crois seulement
qu'il est bon de faire ce qui se doit, alors je le fais : je vous
écris. Je pense que vous me répondrez sans faute et très rapide-
ment, c'est une qualité de l'administration française reconnue
que vous aurez à cœur de confirmer. Vous me direz tout le
bien que vous aurez pensé de ma démarche citoyenne et vous
me dresserez un topo sur les actions engagées par vous et votre
gouvernement à l'effet de restaurer la république dans notre
cité. Si ce sont là les termes de votre missive, ce dont je suis

sûr, alors il est inutile de me l'envoyer, puisque j'en connais l'air et la musique.

Veuillez agréer, Monsieur le Ministre, l'expression de ma rage citoyenne d'être votre humble administré placé sous juridiction islamique.

Journal de Rachel

Février 1996
Auschwitz, la fin du voyage

Je le souhaitais ainsi, finir mon périple par Auschwitz. Je suis arrivé tôt le matin, je voulais être seul, avant le débarquement des visiteurs. La journée allait être longue. Le camp est immense, il couvre plus de quarante-cinq kilomètres carrés soit quatre mille cinq cents hectares. C'est toute une ville, à la façon de ces villes de l'époque du capitalisme sauvage, dans ces pays lointains devenus subitement riches, qui poussaient à pleins gaz à partir d'un camp souche, s'étendant par-ci, par-là, au gré des envies et des fureurs, au fil des découvertes et de la bonne fortune ; une ville ordonnée et chaotique à la fois, avec ses périmètres bien marqués, ses immenses avenues, ses places d'armes vastes à décourager un marathonien, ses bâtiments administratifs sans charme, ses quartiers huppés avec leurs demeures farfelues, leurs châteaux romanesques, son église opulente, ses zones d'habitation populaire qui reproduisent à l'infini le même pauvre schéma, son théâtre rococo, son cinéma délirant, son cabaret chic, ses bordels d'abattage et ses bars de misère, ses zones industrielles, ses gares et leurs réseaux d'aiguillage, ses dépôts, ses parcs anémiques, ses terrains vagues ahurissants, ses marchés anarchiques, ses terrains de sport qui disent son village qui se meurt d'ennui et d'inaction, ses casernes inquiétantes, et une piste d'atterrissage sommaire flanquée d'un semblant de tour de contrôle qui promet d'être

233

bientôt un aérodrome de capitale. On l'imagine, ces villes en croissance fulgurante sont comme ça, trépidantes et ennuyeuses, prometteuses et sans lendemain, elles enrichissent autant qu'elles appauvrissent et au bout du compte elles font de la misère et de la violence le menu de chacun, elles sont une folie en quête de consécration. Il y a une vie chatoyante, libre, ingénieuse, qui se donne en spectacle, et en dessous, dans les favelas sans fin de la périphérie, une vie claquemurée, grouillante, honteuse, anonyme, qui meurt avec une facilité déconcertante, *pour un oui ou pour un non.* Ces agglomérations spontanées, inscrites dans la logique du système totalitaire qui les a inspirées, prospèrent sur un mythe et c'est de ce mythe qu'elles meurent. Un jour, la nature reprend ses droits et tout disparaît dans le silence, emporté par l'absurde qui les a fait naître. Ce n'est pas l'or qui a fait la fortune de cette cité oppressante, née sur les cendres d'un pauvre village isolé au cœur de la vieille Pologne, ni le pétrole, ni le café, ni l'hévéa, ni les essences rares, mais l'extermination industrielle des *Vernichtung Lebensunwerten Lebens,* les Juifs de préférence et les Tziganes, mais aussi des prisonniers de guerre, les *éléments asociaux* et tous les *Minderwertig Leute* possibles. À vrai dire, cette usine-là faisait feu de tout bois, la chaudière ne pouvait s'arrêter pour une simple rupture dans la chaîne d'approvisionnement principale. En enfer, tout brûle, les vagabonds de tout poil, les traîtres, les opposants, les résistants. Auschwitz était le plus vaste, le plus lugubre, le plus mortel et le plus insatiable des camps nazis. En quatre petites années, un million trois cent mille hommes, femmes et enfants, dont quatre-vingt-dix pour cent de Juifs, ont été traités dans ses fours, soit une petite moyenne de mille âmes par jour. Ça fait bien un village qui disparaît de la carte, maison par maison, famille par famille, entre l'aube et le crépuscule.

Il faisait encore sombre, atrocement froid, il tombait une neige polluée et par l'est cinglait le plus pénétrant des vents. Si je recherchais le pire des accueils pour me punir de revenir sur les lieux du crime de mon père, j'étais servi mais encore loin du compte. Pour le déporté qui arrivait par *le train de la mort*, il y avait bien d'autres choses qui rendaient l'instant infiniment plus cruel, une fatigue de plusieurs jours endurée debout dans des wagons à bestiaux bondés, la faim, la soif, la saleté, la peur panique, la torture de la *sélection*, la fanfare poussée à fond, les ordres cinglants, les aboiements des chiens, les brutalités des soldats, l'humiliation du déshabillage en plein air, du rasage de la tête et du tatouage du matricule sur le bras, et par-dessus tout le sentiment écrasant que quelque chose de colossalement aberrant s'était produit sur terre : la fin de l'humanité, trahie par Dieu lui-même. Lorsqu'ils entraient dans le camp, étaient-ils encore des hommes ? Débarquer ici en pullman de touristes par une belle journée de printemps eût été indécent, je ne suis pas n'importe qui, je suis Helmut Schiller, le fils du SS Hans Schiller, et dans cet endroit mon père a sa part des un million trois cent mille morts, gazés pour la plupart, abattus d'une balle pour les plus chanceux. Je n'avais que ce choix, arriver comme mon père en voiture chauffée, l'esprit tranquille, peut-être agacé par quelque problème technique, ou comme un déporté, effrayé, affamé, transi, trempé comme un chiffon, seul comme personne au monde, écrasé par la machination, et ne sachant ce qu'on lui voulait, lui en particulier. Je n'en rajoutais pas par masochisme ou par jeu, je voulais approcher la réalité du déporté et voir jusqu'où était allé mon père. Je le sais, cette affaire dépasse l'entendement, rien ni personne n'aurait pu m'en approcher ne serait-ce que de un millionième de millimètre. Moi, je suis libre, je suis venu de moi-même et je partirai de moi-même quand je le voudrai, je suis debout, j'ai mes cheveux et toutes mes dents, et mes papiers dans la poche, et sauf accident ou meurtre ou maladie fatale ou suicide sur un coup de folie, je sais que je serai vivant demain et après-demain et le surlendemain et ainsi de suite jusqu'à la fin de ma vie. Je ne peux me faire déporté, je ne peux me faire cobaye de laboratoire ou *Sonderkommando*, je ne peux me faire bourreau ou kapo, je ne peux rien, sinon entrer dans les pensées de papa, mettre mon pas dans le sien et tenter de le suivre dans son effroyable chemin ; je ne peux rien de plus que mimer le déporté et tenter de sentir ses affres alors que la mort la plus mystérieuse, la plus avilissante, fond sur lui. Je ne peux rien. Mais je suis là, je le devais, et je dois aller jusqu'au bout.

J'ai suivi les rails du *train de la mort* en venant de la gare des Juifs, la *Judenrampe*. En face, au loin, barrant l'horizon, est cette construction dont la photo est dans tous les livres, un long bâtiment rougeâtre, bas, avec en son milieu, enjambant l'entrée, une tour de garde carrée coiffée d'une toiture de tuiles. C'est le camp d'Auschwitz-II, le *Konzentrationslager* Auschwitz-Birkenau. Passé le porche, on voit des baraquements à l'infini, alignés au cordeau, le *Lager* des hommes d'un côté de la grande allée, celui des femmes de l'autre, et partout des miradors, des barbelés, des clôtures électrifiées. On ne peut pas se tromper, l'enfer a résidé ici, il n'y a pas si loin, tout est encore en place, tout n'est que cendre et solitude comme avant. Ici, à Birkenau, le Mal a atteint son apogée. En face, à l'est, le camp d'Auschwitz-I avec son fameux slogan en fer forgé accroché en couronne au-dessus du portique d'entrée : *Arbeit Macht Frei*, Le travail rend libre. À l'intérieur de l'enceinte, dans une zone qui fut autrefois hautement sécurisée, les gigantesques usines d'armement de la Krupp Union, les usines de la DAW, la Deutsche Ausrüstungswerke, les ateliers des SS, la pharmacie générale ainsi que les blocks hébergeant les services hospitaliers, le *Häftlingskrankenbau*, le HKB, pour soldats et *ouvriers*. Plus au nord, à trois kilomètres, le camp d'Auschwitz-III, Monowitz. Les énormes bâtiments gris que l'on aperçoit noyés dans la brume sont ceux qu'occupait la société IG Farben, spécialisée dans le gaz d'extermination, l'engrais et le détergent. Il faut imaginer, ces bâtiments n'existent plus, ils ont été bombardés en 44 et plus tard rasés. On en voit les traces au sol. Dans ce lieu, la *Buna*, dans un autre complexe également bombardé et rasé, on produisait le caoutchouc synthétique, vital pour l'armée du Reich. Y travaillaient dix mille détenus à des cadences infernales. Je crois que pas un n'en est sorti vivant, ils savaient trop de choses, des secrets de fabrication, ils avaient approché des expériences militaires très en avance sur leur temps. Les derniers *ouvriers* furent massacrés dans la précipitation lorsque l'armée soviétique pénétra en Pologne et qu'une de ses unités fonçait à tombeau ouvert sur le camp avec l'espoir de l'atteindre avant que tout ne soit détruit ou déménagé.

Je suis entré dans le camp de Birkenau et je me suis laissé guider par l'instinct. Je m'efforçais d'oublier ce que je savais, je voulais savoir ce que l'on ressent lorsqu'on entre dans le camp pour la première fois, la tête pleine de sa monstrueuse réputation. C'était difficile, impossible, j'en savais trop, j'avais tant étudié ce lieu que je pouvais me guider les yeux fermés, le plan était dans ma tête. J'aurais pu marcher comme un bon soldat qui fait son ordinaire, qui va d'un point à l'autre avec le souci d'exécuter ses ordres en temps et lieux. Entrer dans ses pas et me démener comme lui, bravement, engoncé dans un lourd paletot anti-blizzard : ramener un blessé de l'infirmerie à son lieu de travail, traîner une loque au Bunker, le I ou le II, où on gazait les Juifs français, récupérer le rapport d'activité journalier dans l'un des quatre complexes ultramodernes, à la fois chambres à gaz et crématoriums dont les plans, dit-on, ont été pensés par Himmler lui-même, les fameux K II, III, IV et V, de vrais bijoux d'extermination, et le porter au pas de gymnastique au bureau d'ordre dans le bâtiment administratif des SS, m'octroyer un détour éclair par le bordel des kapos voir s'il y avait du nouveau, ou, petite curiosité malsaine, jeter un œil à travers la verrière de la clinique d'expérimentation du professeur Karl Clauberg ou celle du très sinistre docteur Josef Mengele, le Frankenstein des jumeaux monozygotes, ou effectuer un crochet par le laboratoire dans lequel des chimistes comme mon père, qui avec son grade de capitaine en était sûrement le directeur, préparaient leur bouillon magique et leurs granulés contre les *poux*; bref, partout, sauf dans les parages du trop sinistre Block 11 où des déments jamais vus sur terre expérimentaient des tortures et des méthodes d'exécution hors du commun même pour Auschwitz. Je pouvais aussi partir de la place où se rassemblaient les détenus, à l'aube, et conduire sans hésiter l'un ou l'autre groupe sur le chemin menant à son lieu de travail forcé.

J'avais appris à suivre mon père par la pensée, j'étais à même de courir dans le *Lager* comme si j'y avais grandi. Il n'est pas un détail de sa journée que je n'aie pas envisagé. Papa était un homme d'ordre, précis comme un métronome, toute sa vie il a gardé cette habitude de tout minuter. Notre vie à Aïn Deb était ainsi, réglée sur sa montre. Quand mes copains se contentaient du soleil et de leur humeur pour bondir d'un lieu à l'autre, moi j'attendais mon quart d'heure de liberté en rongeant mon frein, l'œil fixé sur la grande aiguille de l'horloge.

Je me suis retrouvé devant les complexes K. Mon père a dû suivre la réalisation du K IV et probablement l'inaugurer. Pourquoi celui-là en particulier? Question de date. Mon père était en poste à Auschwitz-Birkenau entre janvier et juillet 43. Or, la construction des complexes a commencé début 42 et s'est achevée fin 43. J'imagine qu'à son arrivée les deux premiers étaient opérationnels, que le troisième entrait dans la phase d'essai et de mise en exploitation, et que pour le dernier les travaux en étaient encore aux terrassements. En vérité je savais exactement, j'avais lu tant de livres et de témoignages de rescapés, ma documentation est à jour. Cette même raison de date me fait dire que papa était sous les ordres du premier commandant d'Auschwitz, le très sinistre SS Obersturmbannführer Rudolf Höß, lequel sera retrouvé plus tard par les Alliés en Bavière, où il se cachait sous une fausse identité ; il sera condamné par un tribunal polonais en 47 et pendu devant l'un des Kremas de son cher Auschwitz. Au milieu de l'été 43, au moment où mon père rejoignait sa nouvelle affectation, Buchenwald, il sera remplacé par Arthur Liebehenschel et Richard Baer. Le premier sera arrêté et exécuté en 48, en même temps que la très sinistre commandante du *Lager* des femmes de Birkenau, Maria Mandel, et son adjointe la belle et terrible jeannette Irma Grese, que papa a peut-être draguée entre deux fournées. Richard Baer, quant à lui, condamné à la perpétuité, mourra en prison en 1963. Le très sinistre Josef Mengele, dit l'Ange de la mort, profita de tout, du réseau franciscain en Italie pour se débiner en paix, du bon air de l'Argentine de Perón, du Paraguay et du Brésil, pour fructifier sa part de l'immense fortune familiale des Mengele et se la couler douce. Il serait mort de sa belle mort en 1979, à l'âge de soixante-huit ans, quelque part en Bolivie, on ne sait où, laissant derrière lui le mythe d'un surhomme que la mort ne pouvait atteindre. Son fils, un magnifique *golden boy* de New York, à qui on posa la question : « Pourquoi votre père ne se rend-il pas ? » répondit : « Ce n'est pas mon affaire, c'est à lui de le décider. » Moi, si j'étais son fils, je l'aurais dénoncé avant qu'on me pose la question, et en tant que victime, j'aurais demandé à témoigner dans son procès.

Et plus j'avançais dans cette errance, que je voulais instinctive pour mieux pénétrer le mystère, et plus dans ma tête se déroulait l'implacable processus qui réglait à la seconde près le fonctionnement du camp. J'étais prisonnier de ce que je savais. J'étais dans mes livres, dans mes fiches techniques, les choses ne se passaient pas comme ça dans la réalité, pas seulement. Derrière la logique froide du mécanisme était le mystère virulent de la mort qui étreignait le camp, il y avait les lois abominablement injustes du hasard qui, ici plus qu'ailleurs, accompagnait chaque instant le détenu, qui l'observait, qui faisait que le choix pour telle corvée, telle punition, se portait sur lui, une fois de plus, qui faisait que la maladie le frappait lui plutôt qu'un autre et cela signifiait la mort immédiate ; il y avait cette magie des choses qui voulaient que des incidents anodins, nés à la marge, se mettent subitement à s'enchaîner les uns aux autres pour venir comme une grosse catastrophe enrayer la superbe et inaltérable machine, affolant ses maîtres, les humiliant jusqu'au sommet, libérant en contrecoup de terribles colères, des actes gratuits, des châtiments en cascade ; et des jours et des semaines de privations ; il y avait le mystère du temps qui s'étirait à l'infini, jusqu'à anéantir toute volonté, tout espoir, tout regret même, puis se contractait subitement, étranglait son monde, mettait de la précipitation dans le moindre mouvement, se faisait garrot impitoyable rendant chaque minute plus lourde, chaque seconde plus incertaine ; et il y avait le climat et ses humeurs, et ses tortures, la rumeur et ses fièvres, il y avait la promiscuité et sa honte, et ses réactions épidermiques, il y avait la faim, perpétuelle, délirante, et les odeurs qui soulèvent le cœur, il y avait la terrible perte de conscience morale qui faisait du déporté le pire ennemi du déporté, *chacun ayant scellé une alliance avec la faim, l'instinct de survie et la folie*, et il y avait ces innombrables petites choses du quotidien qui pouvaient à tout moment prendre une tournure tragique ; mon Dieu quel drame qu'une chaussure volée ou un bonnet égaré en hiver, un regard de trop sur un officier, une seconde d'inattention, une gamelle qui se fend, une foulure au pied, une dysenterie, une lombalgie, une plaie qui s'infecte ; il y avait cette tension épuisante pour toujours paraître en état de travailler et ne jamais éveiller le soupçon ; il y avait ce malstrom que l'on portait dans sa tête vingt-quatre heures sur vingt-quatre, ces angoisses purulentes, ces questions sans fin, des exaltations morbides, des peurs d'enfants, des besoins lancinants, des rêves impossibles, des souvenirs fugaces d'une autre vie, dans un monde où existerait un soleil, où le jour et la nuit sont une grâce que l'on partage avec d'autres. Un rien menait à la mort, un rien rendait la vie into-lérable, tout était aléatoire, voué à l'échec, à la noirceur, à la putréfaction. On en venait sans doute à espérer que la superbe et inaltérable machine continuât de toujours bien tourner. Peut-être même priait-on Dieu de nous oublier et de veiller à ce que rien ne vienne contrarier la Bête. Qu'elle ait ses morts, qu'elle s'en repaisse et nous laisse tranquilles. Quand tout baigne, on peut voler quelques moments de répit. Quand tout va son petit train, on peut attendre son heure et mourir en paix.

Moi aussi j'ai la tête pleine de mystères. Il en est un qui me lancine, j'y pense tout le temps, c'est le mystère du rescapé. Mon Dieu, comment vivre après le camp ? Y a-t-il une vie après Auschwitz ? De tous les témoignages que j'ai lus, notamment ceux qui ont été recueillis à chaud si je puis dire, à la libération des camps et pendant les premiers procès des criminels, pas un n'exprimait de haine, de colère, ne réclamait vengeance. Je ne comprenais pas, je ne comprends pas. C'est un mystère pour moi. Ces femmes, ces hommes, ils racontaient seulement, ils répondaient calmement, timidement, aux questions des enquêteurs, des juges. « Je m'appelle X, je suis arrivé au camp tel jour, tel mois, telle année... j'étais affecté à l'atelier de confection... oui, je savais que l'on gazait des détenus... oui, j'ai été battu par les kapos... j'ai assisté à des châtiments... un jour, on nous a rassemblés pour l'exécution de cinq détenus accusés d'avoir volé un coupon de tissu... un autre jour, notre compagnon Y s'est jeté sur la clôture électrifiée, nous avons été roués de coups pour ne l'avoir pas retenu... Il voulait se suicider, nous le comprenions. » Et vous? « Oh moi, j'ai eu de la chance, j'ai été affectée au Canada. » Dites-nous ce qu'est le Canada. « Un immense atelier à l'écart du *Lager* où on triait les effets personnels des nouveaux détenus, on mettait l'argent d'un côté, les bijoux de l'autre et des vêtements triés on confectionnait des balles que les camions emportaient à la gare. Le travail est harassant mais pas tant que ça... le Canada, c'était le paradis pour ceux qui trimaient dehors dans la boue et le froid. » J'ai lu et relu les livres de ces revenants devenus illustres, Charlotte Delbo, Elie Wiesel, Jorge Semprun, Primo Levi, je n'ai pas trouvé un mot de haine, l'ombre d'une envie de vengeance, pas la moindre expression de colère. Ils ont simplement raconté leur quotidien avec tout le détail dont ils étaient capables, et cet art qui est le leur, ils ont dit ce que leurs yeux ont vu, ce que leurs oreilles ont entendu, ce que leur nez a senti, ce que leurs mains ont touché, ce que leurs dos et leurs pieds ont porté de fatigue et de souffrance. Ils ont raconté comme une caméra restitue des images, comme un magnétophone restitue des sons. Ils parlent de leurs bourreaux en disant : « Tel, l'officier X, a dit ceci, il a fait cela, tel jour, telle heure. » Ils parlent de leurs compagnons en disant : « Untel a dit ceci, il a fait cela, un matin il est parti, on ne l'a plus revu. » Pourquoi, cette distance? Elle me pose problème. Où est la colère? Où est la haine, où est l'appel à la vengeance, où est l'envie de tout détruire, de rejeter l'humanité, de refuser Dieu, de ne plus s'arrêter de courir, de ne plus rien entendre? Cette expérience n'est pas comme les autres, tout le bruit du monde ne pourrait couvrir la douleur qui s'est élevée de cet endroit. On en parle comme ça, comme d'un jour sans lumière qui serait tombé par hasard sur le monde. On parle du Mal absolu et des souffrances incommensurables qu'il nous a infligées. « Kuhn est fou. Est-ce qu'il ne voit pas, dans la couchette voisine, Beppo le Grec, qui a vingt ans, et partira après-demain à la chambre à gaz, qui le sait, et qui reste allongé à regarder fixement l'ampoule, sans rien dire, et sans penser à rien ? Est-ce qu'il ne sait pas, Kuhn, que la prochaine fois ce sera son tour ? Est-ce qu'il ne comprend pas que ce qui a eu lieu aujourd'hui est une abomination qu'aucune prière propitiatoire, aucun pardon, aucune expiation des coupables, rien enfin de ce que l'homme a le pouvoir de faire ne pourra jamais plus réparer ? Si j'étais Dieu, la prière de Kuhn, je la cracherais par terre. » C'est toute la colère que j'ai trouvée dans le livre de Primo Levi *Si c'est un homme*. Il constate que rien, ni les prières, ni le pardon, ni l'expiation, ne peut réparer et il s'arrête là. Je ne comprends pas. À ma manière, je suis un rescapé, mais moi je ne trouve pas assez de mots, je n'ai pas assez de force en moi pour dire ma colère, ma honte, ma haine et je sais que rien ne pourra étancher le désir de vengeance que je porte en moi. Se découvrir le fils d'un bourreau est pire que d'avoir été soi-même un bourreau. Le bourreau a ses justifications, il s'abrite derrière un discours, il peut nier, il peut crâner, revendiquer son crime, que dis-je son ministère, et affronter fièrement la potence, il peut se cacher derrière ses ordres, il peut se sauver, changer d'identité, se construire de nouvelles justifications, il peut s'amender, il peut tout. Mais le fils, que peut-il, sinon compter les crimes de son père et traîner le boulet sa vie durant ? J'en veux à mon père, j'en veux à ce pays, à ce système qui l'a fait ainsi, j'en veux à l'humanité, j'en veux à la terre entière, j'en veux à ces illustres personnages qui ont froidement rendu compte de ce

243

qu'a fait mon père, sans plus, comme s'il effectuait un travail indifférent, un job pour lequel il serait payé, ils l'ont dépouillé de l'humanité qu'il pouvait encore avoir et présenté comme un automate imbécile obéissant aux ordres de son Führer, je leur en veux de l'avoir épargné, de ne pas le haïr comme on doit haïr un tyran, de ne l'avoir pas insulté, je leur en veux pour leur distance, je leur en veux pour leur mesure. Mon père savait ce qu'il faisait, je le connais, il était un homme de conviction et de devoir, il mérite toute la colère du monde. *Hans Schiller, tu es une crapule, le pire des assassins, je te vomis, je te hais, je veux que ton nom disparaisse, je veux que tu rôtisses en enfer jusqu'à la fin des temps et que ceux que tu as gazés viennent te cracher au visage! Tu n'avais pas le droit de vivre, tu n'avais pas le droit de nous donner la vie, cette vie je n'en veux pas, elle est un cauchemar, une honte indélébile. Tu n'avais pas le droit de fuir, papa. Je dois assumer à ta place, je vais payer pour toi, papa. Hans Schiller, sois maudit!* Je me suis assis et, comme un déporté qui en a trop vu dans la journée, j'ai pleuré des larmes sèches.

Il ne neige plus. Et le vent est tombé. Et le froid est moins incisif. Un petit soleil invisible envoie un peu de chaleur. Un degré peut-être mais je l'ai senti comme un souffle de vie. Je suis sorti de ma prostration. J'avais mal partout. Je me suis étiré et j'ai repris mon errance dans le camp. Je voulais retourner à la gare, tout bien considéré c'est l'endroit le plus important du camp, le plus cruel, c'est là que tout se décide. C'est là que les femmes, les hommes, et les enfants si effrayés, et les bébés endormis dans leur caca arrivent au but. Ils sont encore habillés comme à la ville, ils tiennent une valise, un cabas, un cartable, un jouet, des femmes portent leurs bébés, les serrent contre la poitrine, leur caressent la joue du bout des doigts, les protègent du froid ou du soleil, ils ont leurs papiers sur eux, leurs montres, des bijoux, de la monnaie dans les poches. Et cette étoile jaune sur le revers de la veste, elle fait honte c'est vrai, mais elle dit simplement qu'ils sont juifs ; on peut ne pas les aimer, ce n'est pas grave, personne n'est tenu d'aimer tout le monde. D'autres portent leur honte sur le visage, les Tziganes, les basanés, et les malades avec leur teint cireux et leur voix éteinte, et les vieux qui font peine à voir si loin de leurs dernières habitudes, et que dire des enfants qui ne peuvent ni se grandir ni se grimer en adulte, ni comprendre ce qui se passe autour d'eux, ce que l'on inflige à leurs parents. Mais cette gare n'est pas comme les autres, nulle part dans le monde. Et cette étoile n'est pas comme les autres, nulle part dans le ciel. C'est là, dans la *Judenrampe*, dans le terrain vague attenant à la gare, qu'ils seront triés, séparés, enregistrés, tatoués, habillés en bagnard, alignés, et qu'ils attendront que quelque part, quelqu'un, un deus ex machina accablé de soucis vertigineux, un *Bonzen*, donne son ordre de marche. Ça prend des heures et chaque minute est infinie. Pour les vieux, les malades et les enfants, c'est là que tout se termine. Il n'y aura pas un autre jour pour eux. Ils ne le savent pas, certains s'en doutent mais ce qui n'est pas arrivé, ce que l'on ne voit pas de ses yeux, reste une hypothèse, la vie est encore possible : les portes de la chambre à gaz sont déjà ouvertes pour eux et les *Sonderkommandos* les attendent l'arme au pied, je veux dire cette brouette qui pue la charogne et ce mutisme minéral qui les aide à oublier leur déchéance. Dans quelques heures, ils partiront en fumée dans le ciel de Dieu, ce Dieu sourd, aveugle et intolérant qu'ils prient depuis le premier jour. Comment croire en ce Dieu ? Un animal, un chat, un rat, un serpent glacé donnent plus de chaleur à l'humanité, c'est une vie qui vient se frotter à une autre vie. Pour les hommes et les femmes valides, c'est là que tout commence. C'est là qu'ils perdent une fois pour toutes leur autonomie, leur dignité, leurs souvenirs, leur humanité. Tout.

C'est à cet instant qu'ils deviennent des *déportés*, des *Abge-wandert*. La mort sera une formalité pour plus tard, lorsqu'ils auront payé le prix de leur mort par un bon et honnête travail.

Elle était debout à l'entrée de Birkenau. Une vieille toute menue, les jambes un peu arquées, elle portait son sac au creux du coude et sur la tête un petit chapeau ridicule. Son manteau était lustré, il avait beaucoup servi. Elle était seule. Elle fixait quelque chose devant ses pieds, ne bougeait pas. On aurait pu la prendre pour une vieille employée de maison qui attend patiemment le premier bus du matin dans une banlieue livide balayée par les vents. Elle a tourné la tête à droite, à gauche, puis elle s'est retournée et a longuement regardé les rails qui se perdent à l'horizon, le terre-plein de part et d'autre, le ciel emmitouflé dans ses gros nuages, avant de revenir se focaliser sur le bâtiment et sa tour de garde. Elle en a examiné tous les détails. J'ai senti que quelque chose criait en elle, elle était toute crispée devant cette frontière que l'on traversait pour mourir. Elle s'est enhardie et s'est avancée sous le porche et, là, elle s'est arrêtée net, je crois même que sa respiration s'est bloquée. Sa tête tournait dans tous les sens, comme actionnée par un mécanisme déréglé. Elle était dans la peur, la vraie grande peur d'Auschwitz. J'étais fasciné par ce ballet étrange et pitoyable, dans ce théâtre de laideurs, par ce temps qui ne laissait place qu'à la tristesse et au silence. J'ai deviné qu'elle fouillait sa mémoire, elle cherchait des signes, des repères. Des souvenirs. Elle réfléchissait. Je dirais qu'elle ressentait les choses de l'intérieur, le Mal et ses mystères dispersés dans le temps, dans sa tête, elle était comme un animal qui d'instinct ressent les vibrations de lointains bouleversements et commence à paniquer. Mais elle, elle ne bougeait pas, ne bougeait plus, elle donnait l'impression qu'elle pouvait rester ainsi définitivement, à attendre. À un moment, elle a frissonné, et comme décidée à affronter sa peine, elle est entrée dans le camp, a avancé d'un pas et s'est de nouveau arrêtée. Elle a balayé le site, puis elle a pris sur la droite et s'est avancée à petits pas, tête baissée. Elle était passée dans un autre monde, ce monde que je connais si bien sur papier que je pourrais la guider et dire par avance ses réactions. J'avais compris qu'elle avait séjourné dans ce lieu maudit. Pourquoi, je ne sais, j'ai vu en elle une étoile dans mon ciel noir. Je l'ai suivie.

Elle est entrée dans le *Lager* des femmes. Elle s'est arrêtée, a sorti un mouchoir de son sac, l'a roulé en boule, s'est essuyé les yeux, et l'a plaqué sur son nez. Elle s'est avancée, a lu le numéro du premier block, le suivant et ainsi de suite. Elle marchait plus vite, elle trottait à petits pas saccadés, le numéro qu'elle cherchait était plus loin. À un moment, elle s'est arrêtée, a longuement fixé le block sur sa droite, puis s'est avancée vers l'entrée, a gravi les trois marches, a tendu le bras vers la poignée. Elle a hésité puis l'a tournée dans un sens, dans l'autre. La porte était verrouillée. Elle n'a pas insisté. Elle s'est assise sur la première marche. Je la regardais. Elle ne faisait rien, ne bougeait pas. Elle était dans sa tête, dans l'endroit le plus obscur. J'ai ressenti une immense affection pour cette femme. Elle paraissait si fragile, si seule.

Je me suis rencogné quelque part pour l'observer. La tête penchée sur le côté, elle jouait avec son mouchoir, le pliait sur son genou, le dépliait, le roulait, le déroulait. Comme son esprit doit être loin, me suis-je dit. Une demi-heure plus tard, elle s'est levée, a poussé un soupir et s'est dirigée vers l'est, vers les chambres à gaz et les fours crématoires. Il y avait foule. Des visiteurs. Un groupe de jeunes, des lycéens, un groupe de vieux. Ils écoutaient leurs guides respectifs. Les jeunes prenaient des photos avec une vraie boulimie, ils se chuchotaient des choses à l'oreille avec beaucoup de hâte. Bien sûr, ils auraient voulu crier, poser de vraies questions, mais dans ce lieu parler n'a jamais été une coutume, on y venait pour être gazé, pour partir en fumée, ils le savaient. Les vieux ne disaient rien, ne bougeaient pas. Elle a rejoint ce groupe. Elle a dit deux mots à son voisin, qui lui a passé le bras autour des épaules et s'est penché pour l'embrasser sur le front. Un geste d'ami. Je me suis mêlé à eux. Le guide parlait, il expliquait. Je n'ai pas aimé sa voix. Le ton n'y était pas. Ce qui me gênait c'est qu'il était dans ses livres, dans ses fiches techniques, il décrivait un processus. Ce n'est pas ça l'Extermination ! Pas seulement. Elle ne se réduit pas à son dernier acte. Il y a le reste, le plus important, qui n'a pas de nom, le mal au jour le jour auquel on s'habitue si vite, auquel on ne s'habitue jamais, que cette petite vieille a immédiatement retrouvé dans sa tête, ce que moi je cherche désespérément depuis des mois sans m'en être approché d'un millionième de millimètre. Je l'ai ressenti comme ça dès le début : je ne pourrais connaître mon père et me retrouver qu'en allant au fond des choses, au cœur de la Machination. Or aucun savoir, aucune intelligence, aucune sensibilité, aucune imagination ne peut atteindre ce que l'expérience de l'Extermination a gravé dans la tête des déportés et eux, les survivants, n'ont aucun moyen de nous le faire savoir. Mon père restera une énigme et ma douleur ne connaîtra pas de fin.

Le groupe a repris son chemin. Je me suis arrangé pour être à côté de ma petite vieille. Nous avons engagé la conversation. Elle parlait un anglais avec un fort accent d'Europe centrale que je n'arrivais pas à situer. Elle m'a dit qu'elle était originaire de Tchécoslovaquie, de Bratislava, qu'elle vivait à New York depuis 48. Je lui ai dit que j'étais français et que j'habitais la banlieue parisienne. Quand j'ai senti que le courant passait entre nous, je lui ai dit : « Vous avez fait Birkenau ? » Elle a rougi et m'a répondu :

« Oh ! non, pas moi, ma sœur Nina, moi, j'étais à Buchenwald... avec mes parents.

— Mmm !... Votre sœur... elle est morte ici ?

— Oui. Je l'ai su par une amie qui était avec elle ici, à Birkenau... Elle est morte, l'année passée.

— Mmm !

— Elles étaient ensemble au lycée à Bratislava. Un jour, elles ne sont pas rentrées, et plus tard, ils sont venus nous prendre... toute la famille.

— Mmm !

— Et vous ?

— Oh ! moi... je...

— Un parent à vous ?

— Oui... mon père... il a fait Birkenau et d'autres camps... il a été sauvé par miracle. Je ne le savais pas, il ne m'a jamais rien dit... je l'ai appris tout récemment... par hasard... après son décès.

— Je comprends... Il ne faut pas lui en vouloir, on ne peut pas dire ces choses aux enfants. Croyez-moi, c'est très difficile d'en parler, même avec ceux qui sont passés par là. »

Nos chemins se sont séparés au croisement de deux allées. Son groupe se dirigeait vers le car et moi j'avais à poursuivre mon périple jusqu'au bout. Alors qu'elle montait dans le car, subitement je me suis approché d'elle, je l'ai retenue par le coude et je lui ai dit :

« Je voudrais vous demander pardon...

— Mais de quoi, cher monsieur ?

— Je... la vie n'a pas été tendre avec vous... avec votre sœur, vos parents... je me sens responsable. »

Elle m'a regardé avec ses beaux yeux de vieille qui a beaucoup souffert et m'a dit en me prenant la main :

« Merci, mon fils, ça me touche beaucoup, c'est la première fois que quelqu'un me dit pardon. »

Je me suis penché et je l'ai embrassée sur le front. Un geste d'ami, un geste de fraternité. Par-dessus le gouffre qui nous séparait.

Cette rencontre m'a bouleversé. Cette femme ne méritait pas que je lui mente. J'avais l'atroce sensation de lui avoir volé sa vie, sa dignité. Mais je me disais aussi que son deuil était peut-être fait et qu'il aurait été mal de réveiller ses morts. En vérité, je ne me suis menti qu'à moi-même, je le sais, *aucune prière propitiatoire, aucun pardon, aucune expiation des coupables, rien enfin de ce que l'homme a le pouvoir de faire, ne pourra jamais plus réparer.* Si j'étais elle, Helmut Schiller, ton pardon, je te l'aurais craché par terre.

Il était temps que je parte. Je n'avais rien à faire ici, je n'ai pas ma place dans cet endroit. Je n'aurais pas dû venir, je l'ai souillé.

Journal de Malrich

Février 1997

Quand Rachel est rentré à Paris, en février 1996, il s'est enfermé dans son pavillon et n'en est plus ressorti. Deux mois plus tard, le 24 avril, il se suicidait dans son garage. C'est par Momo, notre pisteur, que j'ai appris qu'il était revenu. Il m'a dit : J'ai aperçu ton frère du côté du Prisunic, putain quelle gueule, il a le sida ou quoi ? Je lui ai répondu : Laisse tomber, c'est des problèmes avec sa bourgeoise et sa multinationale. Je ne me doutais de rien en ce temps, mais ça m'a mis la puce à l'oreille, je suis allé lui rendre visite. J'ai joué le gars qui passait par là, qui vient voir. Ça m'a fichu un coup, il était cadavérique, voûté et désorienté comme un retraité, lui qui était si beau, si élégant, toujours d'attaque, organisé mieux qu'un P-DG. Il portait un drôle de pyjama, un pyjama rayé que je ne lui connaissais pas, et sa tête était rasée comme au bagne, tout de travers. La maison était dans un désordre jamais vu, c'était sale, ça puait, les volets étaient fermés. Une atmosphère de cachot. Il s'est assis sur le bord du fauteuil et il m'a dit d'une petite voix : J'allais venir vous voir à la cité... je viendrai... oui, je viendrai. Je lui ai demandé si ça allait. Il a haussé les épaules comme s'il n'y avait rien de grave : Ça va. Nous avons bu un café froid dans un silence gêné. Je l'observais du coin de l'œil, il fixait le sol devant ses pieds, les mains posées sur les genoux. Si je ne l'avais pas connu, je me serais dit : Et voilà encore un drogué qui vient se réveiller dans notre jardin. Il n'était pas là, il était dans sa tête, je l'entendais réfléchir. Je dirais qu'il ressentait directement ce qui le travaillait de l'intérieur. Il avait l'air si fragile, si seul. Et si mystérieux. J'en étais ému. Puis subitement, d'un ton qui se voulait urgent et grave, il m'a envoyé la petite morale habituelle, le sérieux, l'honnêteté, la droiture, les études. Je me suis levé et je lui ai dit : Bon, ça va, je vois que tu vas bien, je vais te laisser. Il m'a retenu ! C'était la première fois, il n'a jamais été dans ses manières d'insister, de retenir quelqu'un par la manche, de lui remettre une louche dans l'assiette. Il m'a dit : Je te demande pardon. Il a hésité puis il a ajouté : Je n'ai pas été un bon frère pour toi mais ne l'oublie jamais, je suis ton grand frère et je t'aime par-dessus tout. Je crois avoir haussé les épaules, j'avais horreur des effusions, je trouvais ça tellement humiliant. Il a répété : Ne l'oublie pas... quoi qu'il arrive. Ça m'a ému au point de me foutre en rogne. Je me suis levé et je suis parti sans me retourner. Je regrette amèrement. J'aurais dû rester, lui parler, lui demander des explications, le prendre par la main, j'aurais dû m'installer dans le pavillon, le surveiller de près. J'avais bien compris qu'il était au bout du rouleau, ça se voyait comme le jour. Mais en ce temps, ma philosophie était de dire : Les gens, ils ont leurs couilles, et moi j'ai les miennes. J'ai honte de l'avouer, je ne suis pas repassé, je me l'interdisais, je lui en voulais de ne pas avoir tenu parole, il avait bien dit : Je passerai vous voir à la cité. Et je l'avais annoncé à tata Sakina qui s'en était fait une joie.

Et j'avais dit aux copains que je leur ferais signe pour passer comme si de rien n'était, ils sont champions pour remplir le décor et donner l'impression que la vie est une improvisation qui invite à la fête.

Dans son journal, il y a trois pages sur son suicide. Pour lui, ce n'en était pas un, il m'en voudrait de m'entendre prononcer ce mot. Il ne l'a pas utilisé, à aucun moment. Il parle de châtiment, de justice. Il dit que c'est un acte d'amour pour notre père et pour ses victimes. Je ne sais pas si c'est juste d'associer ce qui ne peut l'être, de faire un seul et même geste pour la victime et le bourreau. Je crois que je ne comprendrai jamais vraiment ce qui s'est passé dans sa tête. Il doit en être pareil pour tous les suicidés. Devant leurs corps inertes, on est bête, on se pose des questions qui n'ont pas de réponses. À présent que j'ai lu et relu son journal, je vois le processus mental qui l'a mené au suicide mais l'acte lui-même est autre chose, il dépasse l'entendement. Je comprends qu'on y pense, le suicide est une tentation des plus communes, dans la cité c'est une vraie manie. J'admets même qu'à un moment on puisse passer à la phase matérielle, on prépare l'acte, on opte pour une arme ou une autre, on fait des répétitions, on mime le désespéré qui s'envoie une balle dans la tempe, qui tombe les quatre fers en l'air et qui pousse jusqu'à retenir sa respiration le temps de voir l'effet que ça fait, mais pour le reste, le passage à l'acte, il y a loin de la cuiller à la bouche. Cet instant est insaisissable. Le suicidé lui-même ne peut le concevoir, à un moment le déclic se produit et tout est dit. Quand le coup est parti, il n'est plus là pour le voir arriver. Rachel n'a pas choisi le plus rapide, se tirer une balle, avaler un poison, sauter d'un pont, se jeter sous un train, il est mort à petit feu. Le suicide n'était pas son affaire, il voulait expier, il voulait mourir gazé comme les victimes de notre père, comme si c'était papa lui-même qui le gazait. Il s'est vu mourir et je crois qu'il a tout fait pour rester lucide jusqu'à la dernière seconde. C'était le prix qu'il voulait payer, à la place de papa, pour les victimes des camps et sans doute pour moi, pour me libérer du fardeau de notre dette. Oui, le terme *suicide* ne convient pas.

Je ne me cherche pas d'excuses, mais à cette époque, la vie n'était pas à la joie dans la cité. L'a-t-elle jamais été ? Je pense que oui, j'ai le souvenir de temps insouciants. On allait, on venait, sans soucis, sans problèmes. S'il y en avait, surtout en fin de mois, on les surmontait facilement et ceux que l'on n'arrivait pas à écarter, on les contournait, on se serrait la ceinture, on vivait à crédit, les femmes repassaient au mont-de-piété. Il me semble que les gens étaient plus détendus, ils se démenaient sans trop penser que leur vie était une galère dont ils ne sortiraient jamais. On disait haut et clair : « Demain, il fera jour » ; « Vive la République, vive la France » ; « Tant qu'y a de la vie, y a de l'espoir ». Ou « Qui dort dîne » ; « Demain on mangera avec plus d'appétit » ; « Suce ton pouce, tu oublieras » ; « Fais comme si c'était le ramadan » ; « Bois de l'eau et fais un beau rêve » ; et on riait un bon coup. Quand ça tournait au cauchemar, on faisait le soldat de 14-18 qui philosophe dans sa tranchée : « À la guerre comme à la guerre » ou « Il faut bien mourir de quelque chose » ou « Y a pire ailleurs » ou « Un homme, ça meurt debout... ». C'est ce que j'ai toujours entendu, on pourrait construire un dictionnaire de ces expressions de fin de mois, pour la plupart ramenées d'Afrique par les anciens combattants. On ne s'abandonnait pas au désespoir, au bout du rouleau on sortait la botte secrète : Allah, Jésus, Marie, et le griot. La cité était alors un village hors des routes, avec ses hauts et ses bas, un jour on s'entraide, un jour on s'entre-tue, un jour on se réconcilie autour du feu. Le village n'avait que ça pour vivre et perdurer, les affaires de clôture, les querelles de voisinage, les bricoles des enfants, les histoires de famille qui s'embrouillent à l'infini, jusqu'au fin fond de l'Afrique. À part les vieilles qui tiraient les ficelles en pleurnichant, personne n'avait assez de patience pour les débrouiller et tirer le mot de la fin, alors chacun faisait comme s'il savait et de la sorte médire n'était qu'une façon comme une autre de parler. Mais c'est peut-être parce que j'étais jeune, on crapahutait sans nous arrêter un instant, on n'avait pas le temps de voir sous le tapis, ce qui fumait dans les caves, ce qui fermentait dans les têtes, qui nous arrivait d'ailleurs bribe par bribe, enrobé de mystères et de violence incroyable, qui sentait bon l'héroïsme inspiré et les récompenses à profusion, tant sur terre que dans le ciel. Quand les premiers islamistes sont arrivés, nous les avons applaudis, ils s'étaient dressés contre le Tyran et ses hommes, là-bas, chez eux, en Algérie, les *Taghouts* comme ils disaient, des caïds formidablement armés qui tuaient et pillaient le plus légalement du monde. J'en ai vu un bout à Alger, à chaque pas je me voyais déporté et liquidé comme un *Untermensch*, un sous-homme. Ils étaient marrants avec leur uniforme de kamikaze de l'Antiquité, le chapelet en bandoulière, la barbe en bataille, le front cabossé, le regard brûlant, la sandale tout-terrain, on aimait bien leur discours de rappeurs d'Allah, leur disponibilité de curé de campagne, leur endurance de sapeurs-pompiers des pauvres. Ils étaient une poignée mais nous étions des nuées et ne demandions qu'à être leurs bras. On pouvait tout, il suffisait qu'ils le demandent, ils avaient l'oreille et les encouragements d'Allah. À peine sortis de nos coquilles, nous étions fin prêts, ils nous avaient appris combien il est exaltant d'avoir des gens à haïr et de désirer leur mort jusqu'à en perdre le sommeil. On en parlait la nuit dans les caves et les cages d'escaliers, emmitouflés dans nos parkas de moudjahidin, pendant que les pauvres gens qui n'avaient que leur dénuement à sauver fermaient à double tour leur porte à la vérité du Prophète et au redressement moral, et s'endormaient comme des imbéciles heureux. En cette phase d'initiation, on abominait des êtres abstraits, sans noms ni prénoms, c'était mystique à enivrer un saint. Le flou et l'inexplicable sont les ingrédients de base pour qui veut devenir fanatique et nous le voulions toutes affaires cessantes. Et d'ailleurs, nous n'avions que ça, du temps à perdre. Ces êtres haïssables, nous les appelions les Infidèles, les *Kouffars*, comme ils disaient à la mosquée. Ça sonnait bien, les Infidèles, les *Kouffars*, les Tyrans, les *Taghouts*, on pouvait y mettre ce qu'on voulait, son chat, son chien, ses cauchemars. Quand nous fûmes reconnus aptes au djihad, l'imam nous a ouvert le sac des *Kouffars* et à chacun, d'une voix grave et définitive, il a donné un nom : Celui-là est le Juif, *Lihoudi*, le galeux, le pire de tous, celui-là est le chrétien, le *massihi*, l'hypocrite, le maudit, celui-là est le communiste, le *chouyouï*, le monstre honni d'Allah, ceux-là sont le musulman laïc, l'Arabe occidentalisé, la femme libre, des chiens et des chiennes vulgaires qui méritent une mort très cruelle, ceux-là sont les homos, les drogués, les intellos, à écrabouiller par tous les moyens. Tous des gens que nous connaissions, pour la plupart, des voisins, des voisines, des camarades d'école, des collègues de travail, les commerçants du quartier, les profs du lycée, les gens de la télé. Et du coup, la France nous est apparue dans toute son horreur, gangrenée jusqu'à l'os, un vrai ramassis de *Untermenschen*, des bâtards puants et venimeux, elle copinait avec Israël, l'Amérique et ces affreuses dictatures arabes qui exterminent leurs peuples pour empêcher l'islam de s'étendre. Il était plus que temps de la détruire. Au fil des jours et des sauvetages, chacun s'en est sorti comme il a pu, mais beaucoup n'ont pas cessé de s'enfoncer dans le délire. Celui qui ne guérit pas à temps de la peste verte est un homme perdu pour les siècles des siècles.

Comme on a pu le lire dans les chapitres précédents, la situation s'est horriblement dégradée ces derniers mois. Depuis l'assassinat de Nadia par l'émir de la cité sur ordre de son imam, et l'arrivée de la nouvelle équipe, le Borgne, Flicha et leurs kapos, la cité n'est plus la même. C'est déjà un camp de concentration, ça en prend le chemin, on meurt à petit feu, on se barricade, on est fiché, surveillé, constamment rappelé au règlement du *Lager*, la tenue, la longueur des poils, les gestes à faire, les trucs à ne pas faire, les rassemblements quotidiens, la mobilisation générale du vendredi, la défonce aux sermons, les procès et les châtiments publics, et pour finir on est enrôlé dans les Kommandos de la mort en partance pour les camps afghans. Il ne manque que les chambres à gaz et les fours pour passer à l'extermination de masse. Et pas l'ombre d'un Juste à l'horizon. Rachel ne l'explique pas mais j'ai compris que les Justes étaient ces gens qui au péril de leur vie ont caché des Juifs traqués par la Gestapo et la gendarmerie. Il a établi une fiche sur le sujet et une autre sur les Justes allemands qui au cœur même de la Machination ont déployé des trésors de ruse et de courage pour sauver des milliers d'innocents. Certains sont connus et leurs noms hautement respectés : Oskar Schindler, Albert Battel et d'autres. Papa, pourquoi tu n'as pas fait pareil, Rachel serait vivant et nous serions les fils d'un Juste ? Rachel disait que l'Holocauste est une aberration de l'Histoire et que jamais l'humanité n'accepterait que telle chose se reproduise. Il était cultivé, informé, il savait ce qu'il disait mais je crois qu'il a oublié de remarquer que les choses ne se voient que lorsqu'elles sont arrivées. Une minute avant sa mort, on est vivant, mais une seconde après, il y a des gens étonnés qui pleurent une disparition. Tata Sakina aimait à dire : La différence entre hier et demain c'est le jour d'aujourd'hui, on ne sait pas comment il va finir. Et M. Vincent qui est très à cheval sur le serrage de boulons aimait répéter au-dessus de nos têtes en croisant les doigts : Jusque-là ça tient, et quand ça cassera on le saura. Ensuite, il a oublié de reconnaître que l'humanité a surtout pour habitude de faillir et que rien ne la dérange plus que de s'amender. Dans la cité, il n'est personne qui ne le sache, il est trop tard, les islamistes sont là, bel et bien incrustés, et nous, nous sommes là, bel et bien dans le piège, pieds et poings liés. S'ils ne nous exterminent pas, ils nous empêcheront de vivre. Pire, ils feront de nous nos propres gardiens, dociles avec l'émir, impitoyables entre nous. Nous serons des kapos.

Comme les choses changent. En quelques mois, le village est devenu une étrangeté absolue : une ZUS du passé, *ein Konzentrationslager*. En quelques minutes, le temps de feuilleter un vieux livret militaire qui n'aurait pas dû se trouver là, Rachel est tombé dans un trou noir de l'histoire. En deux petites années, il a perdu la santé, la raison, son travail, ses copains, son Ophélie de toujours et la vie. Et moi, en dix petits mois je suis passé de l'insouciance la plus crasse à un état de crise permanente, quelque chose entre folie, rage et l'envie de courir me noyer à l'autre bout du monde. Je ne sais que faire et de quoi sera fait demain. Je me sens bien seul. Seul comme personne au monde. Mes parents sont morts, Rachel est mort, tonton Ali est sur la fin, et je n'ai aucune idée de ce qui attend tata Sakina. La vie est d'une tristesse absolue.

Avec les copains, on commence à nous dire qu'il est temps pour nous de lever l'ancre et d'aller mourir ailleurs. On se dit aussi qu'il faut s'accrocher et se battre. Un jour, on se jure que ça vaut le coup et le lendemain on se dit que ça ne vaut pas un crachat. On ne voit pas quel miracle pourrait dégoupiller ça.

Journal de Rachel

24 avril 1996

Le temps m'a paru si long, ces derniers mois. Un siècle est passé sur moi et pas des moindres, un siècle d'horreur et de honte absolues. Mon Dieu, que ce fut long et coûteux. Oui, je dois dire que j'ai payé le prix de chaque pas, de chaque mot, chaque bribe d'information, pour connaître mon père, pour connaître de l'intérieur ce que fut l'Extermination et comment mon père y a été mêlé. Je l'ai suivi de bout en bout, je suis entré dans ses pensées et j'ai mis mon pas dans le sien. Je n'ai reculé nulle part, à aucun moment, ni devant la chambre à gaz, ni devant l'incroyable quotidien du déporté, ni devant la douleur qui me dévorait le cœur chaque jour infiniment plus. Si les murs des camps, si les fantômes des déportés, si les hommes et les femmes que j'ai rencontrés au cours de mon immersion dans l'Extermination, si les livres que j'ai lus et relus pouvaient témoigner, ils diraient : oui, cet homme n'a pas ménagé ses forces, il peut parler, il sait.

Je crois avoir fait preuve d'honnêteté, j'ai autant que faire se peut envisagé le pour et le contre, rien n'est jamais absolument noir et il est infiniment rare que tout soit blanc comme neige. Je n'ai ni amoindri la responsabilité de mon père, qui n'était qu'un infime rouage d'une fantastique machine, ni considéré que cette machine aveugle ait pu fonctionner une seule seconde sans la ferme volonté de chacun des hommes qui la servaient.

On peut me le refuser mais parce que je le connais, pour autant qu'un enfant connaît son père, je crois qu'il n'a jamais fait preuve de cruauté. Il était comme ça, austère, rigoureux, inflexible. Un peu opportuniste aussi, si j'en juge par ses aventures en Égypte et en Algérie. Il fallait vivre, il a accepté ce qu'on lui offrait, espion, instructeur en armement, que sais-je. En Algérie, du moins, il a fait assez pour mériter le titre glorieux pour les Algériens d'ancien moudjahid. Dans son village, il était un cheikh vénéré, il fut un mari aimant pour maman et un bon père pour nous, au point de se priver de notre présence et nous envoyer en France chercher l'instruction afin de nous construire un avenir solide. Il est tombé sous le coup de la barbarie et fut élevé au rang de chahid, martyr de la nation. Pour Aïn Deb, il est un *Juste*.

On ne choisit rien dans la vie. Mon père n'a rien choisi, il s'est trouvé là, sur ce chemin qui menait à l'infamie, au cœur de l'Extermination. Il ne pouvait le quitter, il ne pouvait que fermer les yeux et le suivre. Personne ne rêve d'être bourreau, personne ne rêve d'être un jour supplicié. Comme le soleil évacue son trop-plein d'énergie en de fantastiques explosions sporadiques, de temps en temps l'histoire expulse la haine que l'humanité a accumulée en elle, et ce vent brûlant emporte tout ce qui se trouve sur sa route. Le hasard fera que l'on soit là ou là, abrité ou exposé, d'un côté ou de l'autre du manche. Je n'ai rien choisi sinon que de vivre une vie tranquille et laborieuse et me voilà sur un échafaud qui n'a pas été dressé pour moi. Je paie pour un autre. Je veux le sauver, parce que c'est mon père, parce que c'est un homme. C'est ainsi que je veux répondre à la question de Primo Levi, *Si c'est un homme*. Oui, quelle que soit sa déchéance, la victime est un homme, et quelle que soit son ignominie, le bourreau est aussi un homme.

Mais en même temps, tout le choix nous appartient, à chaque instant. Entre nous et la vie il y a un pacte, elle nous quitte quand elle le désire, si elle nous juge indignes d'elle ou trop imbus de notre pouvoir, et nous avons le privilège de la quitter lorsque nous le désirons, dès lors qu'elle prend une direction qui n'est pas conforme à nos idéaux et s'entête à la suivre. On se le dit et on se sépare à l'amiable, pour douloureux et définitif que cela soit. Mourir pour mourir, autant le faire dans le respect de sa personne et celui de l'autre. Mon père a choisi sa voie et chaque fois que la vie lui a offert une alternative il a confirmé ce choix. Il n'a pas tué une personne, il en a tué deux, puis cent, puis des milliers, et des dizaines de milliers, et il aurait pu en tuer des millions. Il était dans la haine et la servitude et ces trous dans la tête n'ont pas de fond. Et à la fin, à l'heure du bilan, à l'heure du réveil, il a choisi de tourner le dos à ses victimes et de fuir. C'était les tuer une deuxième fois, c'est horrible. Il a ensuite sciemment commis la faute de transmettre la vie sachant que tôt ou tard la vérité viendrait à la surface et que ses enfants souffriraient le martyre. Dire d'un tel homme qu'il n'est pas un homme, c'est lui enlever sa responsabilité, et de cette manière lui donner le quitus, il n'aurait alors rien à réparer, n'aurait aucun pardon à demander. Or même pour Dieu dans toute sa gloire, même pour Satan dans toute sa force, la gratuité n'existe pas, il leur faut mériter leur trône et le conserver, c'est nous qui les avons faits rois. Et si *rien enfin de ce que l'homme a le pouvoir de faire ne pourra plus jamais réparer*, on peut au moins s'obliger à cela : payer, payer sans faute. On ne laisse pas de dettes derrière soi.

Alors pour mon père et pour ses victimes, je vais payer sans faute. Ce n'est que justice. Il ne sera pas dit que les Schiller auront tous failli. Que Dieu, cette *chose* aveugle et sourde qui erre majestueusement dans le ciel, pardonne à mon père et veuille noter que pour ma part je n'attends rien de lui. Que ses victimes nous pardonnent, voilà qui compte pour moi. Ma mort ne répare rien, elle est un geste d'amour.

Mon cher Malrich, mon gentil frère, si tu lis ce journal, pardonne-moi. J'aurais dû te parler et partager avec toi ce terrible fardeau. Tu étais si jeune et si peu préparé. Voilà, je me rattrape, j'ai écrit ce journal autant pour moi que pour toi. Sois fort et tiens bien la barre. Je t'aime. Embrasse pour moi tata Sakina et tonton Ali. Si tu vois Ophélie, dis-lui que je l'aime et demande-lui de me pardonner.

Il est 23 heures. C'est l'heure de mon rendez-vous.

FIN

P-S : Je souhaite que mon journal soit remis à mon frère Malek Ulrich Schiller. Merci de respecter ma volonté.

Composé par CMB Graphic.
Achevé d'imprimer
sur Roto-Page
par l'Imprimerie Floch
à Mayenne, le 19 mars 2008.
Dépôt légal : mars 2008.
1er dépôt légal : décembre 2007.
Numéro d'imprimeur : 70825.

ISBN 978-2-07-078685-5 / Imprimé en France.

160167